farsi un'**idea**

78

C000091055

Desidero ringraziare, per i loro consigli e suggerimenti, Brunetta Baldi, Stefano Ceccanti, Renata Lizzi e Salvatore Vassallo.

Sofia Ventura

IL FEDERALISMO

il Mulino

I lettori che desiderano informarsi sui libri e sull'insieme delle attività della Società editrice il Mulino possono consultare il sito Internet:
http://www.mulino.it

ISBN 88-15-08473-8

Indice

Introduzione

Il termine federalismo contiene in sé una certa ambiguità. Esso evoca sia un principio politico, sia particolari istituzioni che si distinguono da quelle dello Stato unitario per il diverso modo con cui organizzano la comunità politica. Nel primo caso, la parola federalismo richiama quella corrente di pensiero che ritiene che la migliore soluzione per realizzare il buon governo delle società complesse stia nella loro organizzazione secondo il principio federale. Tale principio presuppone che unità territoriali autonome che entrano in una unione durevole, ma limitata al perseguimento di obiettivi comuni, mantengano un certo grado di autonomia, di autogoverno, e, al tempo stesso, diano vita ad istituzioni comuni per perseguire gli obiettivi condivisi. Un sistema politico organizzato federalmente tutela la libertà – degli individui e delle minoranze – ed è basato sul consenso dei cittadini. Esso può essere istituito a livello delle unità statali, ma anche in un ambito più ampio, internazionale o addirittura mondiale, quale strumento di pacifica convivenza tra i popoli. All'interno di questa corrente di pensiero, attraverso taluni autori, da Mario Albertini a Daniel Elazar, il principio federale è stato considerato in un'accezione ampia, in grado non solo di caratterizzare specifiche strutture istituzionali, ma anche di forgiare i modelli di comportamento individuali all'interno della società, favorendo la cooperazione a scapito della coercizione.

Con lo stesso termine, si può indicare anche la tendenza ad organizzare comunità politiche, identificate da una determinata popolazione e uno specifico territorio, secondo il medesimo principio federale, in modo tale che i poteri di governo siano distribuiti tra organizzazioni politiche distinte, con proprie competenze e con giurisdizione su porzioni di territorio differenti. Si ha così un sistema che disperde il potere politico, che lo distribuisce tra diversi centri, posti al livello nazionale e al livello delle unità federate, piuttosto che attribuirlo ad un unico centro, come accade, invece, nei sistemi unitari.

Intesa in modo così generale, questa seconda accezione, che mette l'accento sul fatto storico della costruzione di specifiche istituzioni, può essere riferita a soluzioni istituzionali molto diverse tra loro, appartenenti oltre che all'età moderna e contemporanea, anche a quella antica e medioevale. In un significato più ristretto, la tendenza ad organizzare comunità politiche secondo il principio federale, può essere limitata a quelle esperienze storiche che prendono forma all'interno del processo di formazione dello Stato moderno. Si parlerà allora di *Stato federale, governo federale* o *federazione*, a seconda degli approcci disciplinari e teorici, intendendo quei particolari assetti istituzionali che ricalcano, in modo più o meno approssimato, l'archetipo del governo federale: la Costituzione degli Stati Uniti d'America del 1787. Che, cioè, prevedono l'esistenza non solo di una comune istituzione di governo, ma anche la possibilità che essa possieda ambiti di azione in cui sia completamente autonoma dalle unità che hanno dato vita alla federazione.

L'analisi teorica ed empirica dell'esperienza federale qui proposta è sviluppata entro l'orizzonte dei sistemi di governo costituzionali del mondo occidentale. Presupposto di questa scelta è la lettura del federalismo come particolare forma del costituzionalismo, e la consapevolezza che una descrizione comparata che voglia mettere in evidenza – tra le altre cose – le diverse forme che possono assumere le strutture federali, risulti più convincente quando lo *sfondo* è omogeneo. Per questi motivi sono stati esclusi sistemi federali non democratici (Urss) o la cui natura democratica è ancora incerta (Russia), così come un noto caso di federalismo in un paese democratico extraoccidentale, vale a dire l'India. Attraverso i casi analizzati, si è voluto fornire una panoramica delle concrete applicazioni dei principi federali, spaziando dai federalismi classici (Stati Uniti, Canada, Germania, Svizzera) ai sistemi politici unitari che hanno subìto negli ultimi tre decenni più o meno rilevanti processi di federalizzazione (Belgio, Spagna, Italia), fino all'originale esperienza *federativa* europea.

1. Un nuovo ordinamento politico

La nascita del governo federale

A partire dal XV secolo lo Stato unitario e centralizzato era andato progressivamente affermandosi nell'occidente europeo quale forma dominante, ancorché non esclusiva, d'organizzazione politica. Nel penultimo decennio del XVIII secolo, mentre in Europa si avvicinava la Rivoluzione francese, che avrebbe favorito un'ulteriore spinta centralizzatrice e l'estensione di quel modello in gran parte del vecchio continente, nelle ex colonie inglesi del Nord America, i protagonisti della Guerra d'Indipendenza (1775-1783) sperimentavano una nuova via per la creazione di un modello alternativo di governo.

La pretesa dell'Inghilterra di imporre ai propri cittadini residenti nelle colonie tasse alle quali essi non potevano consentire, non avendo la possibilità di inviare propri rappresentanti al Parlamento di Westminster, aveva portato alla Dichiarazione di Indipendenza del 1776, e ad una debole unione tra le varie colonie sancita da una carta, gli *Articoli di confederazione* del 1777. L'organo di governo della Confederazione (il Congresso degli stati) era, in realtà, ostaggio delle singole volontà degli stati confederati, e la sua limitata capacità d'azione si manifestò con tutta evidenza durante il conflitto con la madrepatria. Fu per superare i difetti degli *Articoli di confederazione* che, nel 1787, fu convocata una

Convenzione a Filadelfia, ove giunsero i delegati dei tredici stati. Questi perseguirono l'obiettivo della costruzione di un efficiente governo dell'intera federazione, con l'autorità sufficiente per assicurare la sicurezza nazionale, minacciata dal pericolo di una riapertura delle ostilità da parte dell'Inghilterra, presente nei territori canadesi e occidentali, nonché dall'instabilità politica interna. Tale governo avrebbe dovuto essere in grado anche di garantire lo sviluppo economico delle ex colonie, attraverso la creazione di un unico grande mercato, senza barriere interne. Nasceva così il primo esempio di governo federale della storia. Esso era sorto da un patto tra le colonie, sancito attraverso la prima Costituzione scritta della storia moderna.

La stessa Costituzione delineò il primo esempio di *sistema presidenziale*. Privi di un re, gli americani avevano dato vita ad un monarca elettivo, il presidente. Eletta da grandi elettori, questa figura rappresentava l'istituzione esecutiva, la cui origine e durata si previde fosse completamente separata dal legislativo, il Congresso, impossibilitato a far cadere il presidente, ma, a sua volta, esente dal pericolo di essere sciolto su iniziativa dell'esecutivo.

Le ex colonie assurgevano al ruolo di stati membri di un nuovo organismo politico ove, accanto agli ampi margini di autogoverno da essi preservati, prendeva forma un apparato istituzionale, in buona parte autonomo rispetto agli stati, articolato nelle diverse branche esecutiva, legislativa e giudiziaria, con giurisdizione su tutto il territorio degli Stati Uniti e sui suoi abitanti. Era questo il primo esempio di Stato moderno sorto non dalla conquista dei circostanti territori periferici da parte di un centro, ma dall'*unione* volontaria di entità preesistenti.

Nel secolo successivo l'esperienza americana avrebbe fornito, in varie parti del mondo occidentale, un esempio e un modello per la creazione di nuovi ordinamenti politici, di nuovi stati, per quelle comunità politiche desiderose di creare formazioni più ampie, ma non di dissolversi in esse.

Le colonie inglesi della parte settentrionale del continente nordamericano e dei territori australiani, ottenuto dalla madrepatria lo status di *Dominion* (una condizione di maggior autogoverno rispetto alla precedente situazione coloniale), diedero anch'esse vita a governi federali. Il Canada nel 1867 con il *British North America Act* (Bna) votato dal parlamento britannico; l'Australia, dopo un cinquantennio di tentativi, nel 1901, con il *Commonwealth of Australia Constitution Act*.

Come nel caso statunitense, anche questi due processi furono in buona parte motivati da problemi di sicurezza. Negli anni Sessanta del XIX secolo, quando sorse la federazione canadese, gli Stati Uniti, appena usciti dalla guerra civile, apparivano come una credibile minaccia all'indipendenza delle province del Canada. In Australia, dopo che negli anni Settanta dell'Ottocento le truppe inglesi se n'erano andate, le province di quell'immenso territorio si trovarono a fronteggiare l'espansione imperialistica di tre grandi potenze nell'emisfero australe, la Francia nelle Nuove Ebridi, la Germania in diverse parti dell'Oceania, il Giappone in Corea.

In Europa, due furono, in quel secolo, i paesi che assunsero una struttura federale: la Svizzera nel 1848 e la Germania nel 1870. Entrambi erano sorti dall'unione di più entità politiche situate nei territori di quello che era stato il Sacro romano impero (la natura *policefala* del quale aveva opposto per secoli resistenza ai processi di unificazione statale).

Con le proprie radici nella «lega perpetua» creata nel 1291 da tre comunità delle valli alpine per difendersi dalle ambizioni austriache, la Svizzera nel 1848 operò uno sforzo di centralizzazione (che diede vita ad un effettivo governo federale), per fronteggiare l'invadenza dello stesso nemico, rappresentato all'epoca dal Metternich. La Federazione tedesca del 1870, invece, non fu originata da una minaccia esterna, bensì dall'espansione della Prussia guidata dal primo ministro Bismarck. Questi, infatti, riuscì, grazie alla sua politica di potenza e attraverso una struttura federale, a realizzare l'unificazione tedesca, convincendo i principi a rinunciare alla loro sovranità per la creazione di una grande potenza militare. In tutti questi casi, la *convenienza* ad unirsi è stata controbilanciata dal desiderio di mantenere la propria identità e autonomia. Questo ha fatto sì che quelle esperienze storiche siano approdate non all'esito unitario, ma ad un governo federale.

Dopo la Prima guerra mondiale, in seguito alla dissoluzione dell'Impero asburgico, anche l'Austria optò per una organizzazione dello Stato di tipo federale. A partire dagli anni Settanta del Novecento, due sistemi in origine unitari, il Belgio e la Spagna, hanno subìto un tale processo di trasformazione del loro assetto, che diversi studiosi e osservatori sono arrivati a definirli stati federali o quasi federali.

La struttura del governo federale

Sulla base dell'esperienza americana e dei federalismi classici, Canada, Australia, Germania e Svizzera, è possibile identificare alcuni tratti strutturali comuni agli ordinamenti politici statuali organizzati in modo federale: una *Costituzione scritta*, suprema e rigida; una Corte per la soluzione dei conflitti tra livelli di governo; una camera che rappresenta gli stati federati; una distinzione delle competenze tra livelli di governo garantite dalla Costituzione.

La Costituzione scritta indica come il potere debba essere diviso o condiviso nel sistema politico tra i diversi livelli di governo, e rende vincolante tale suddivisione. In altre parole, i termini del patto che dà origine alla federazione (con il quale sono istituiti sia il governo centrale, sia quelli regionali e distribuiti i relativi poteri) devono essere rispettati; la Costituzione è posta a garanzia della loro osservanza. Tale Costituzione è anche *suprema*: le sue disposizioni devono essere rispettate anche dalle Costituzioni e dalla legislazione delle unità federate, e rispetto ad esse è considerata sovraordinata.

Una Costituzione federale è anche una costituzione *rigida*, in quanto, per modificarla, sono richieste procedure più complesse rispetto a quelle utilizzate per approvare leggi ordinarie. Ad esempio, maggioranze particolarmente ampie all'interno di entrambi i rami del parlamento, e talvolta il ricorso a consultazioni popolari. Ma ciò non è sufficiente. Dall'idea di una Costituzione scritta posta a tutela dell'accordo federale, deriva, infatti, la necessità della partecipazione sia del governo federale, sia di quelli federati, al processo di emendamento costituzionale. Sia il primo, sia i secondi, cioè, devono dare il loro consenso al mutamento costituzionale.

Un importante indicatore della natura federale di un governo è costituito dalla presenza di un organo giudiziario per la composizione dei conflitti tra i diversi livelli, a cui è attribuito il compito di decidere, in ultima istanza, il significato della divisione dei poteri. Un noto esempio di un tale organo giudiziario è rappresentato dalla Corte suprema degli Stati Uniti.

La struttura del governo federale consente anche di far partecipare le unità costituenti alla formazione della politica e della legislazione nazionali, attraverso un organo che li rappresenta a livello federale. Ciò si realizza grazie a un'organizzazione bicamerale del parlamento, ove una camera rappresenta la nazione nel suo complesso ed è eletta da tutti i cittadini (camera bassa) secondo il principio «un uomo, un voto», e l'altra è esclusivamente composta dai rappresentanti delle unità federate (camera alta). Tali unità sono sovente rappresentate in modo paritario, in quanto ognuna ha lo stesso numero di rappresentanti e/o di voti nell'assemblea, a prescindere dal peso demografico, territoriale o economico. Quando ciò non accade, come nel caso della Germania, le unità più piccole sono comunque sovrarappresentate rispetto alla loro dimensione.

Due sono i modelli di camera degli stati: il *consiglio*, proprio dell'esperienza storica tedesca, i cui membri sono nominati dagli stessi governi dei *Länder* e condizionati dalle loro direttive; il *senato*, i cui membri, pur rappresentando gli stati d'appartenenza, sono autonomi e svincolati da ogni mandato imperativo, qualificandosi come rappresentanti politici nazionali, e sono eletti dai cittadini dei singoli stati (è questo il caso di Stati Uniti, Svizzera, Austria, Australia). La rilevanza della rappresentanza degli stati nella camera alta è, naturalmente, legata ai poteri della medesima rispetto alla camera bassa. Solitamente le due camere possiedono poteri, in particolare il potere di intervenire nel processo legislativo, formalmente uguali (Stati Uniti e Svizzera) o esiste solo una moderata prevalenza della camera bassa rispetto a quella alta (Germania, Australia). Ciò, almeno nelle intenzioni, garantisce il ruolo delle unità federate nella politica nazionale e la possibilità di una tutela diretta delle loro prerogative. Unica eccezione significativa è quella del Canada, ove, di fatto, il potere del senato è di gran lunga inferiore a quello della camera.

Un assetto di tipo federale presuppone anche una distribuzione delle competenze tra i diversi livelli, sancita nel testo costituzionale. Se si guarda al funzionamento dei sistemi federali esistenti, però, non è possibile individuare un chiaro modello di attribuzione delle competenze. Anche se è possibile riscontrare la tendenza ad attribuire alcune materie, come gli affari esteri, la dogana, la moneta, al livello federale; altre, come l'istruzione e gli affari culturali, la polizia e il governo locale, alle unità federate. Solitamente, inoltre, le Costituzioni dei sistemi federali elencano le competenze attribuite al governo federale, lasciando, quali *pote-*

ri residui, le competenze non attribuite agli stati membri (eccezione di rilievo è ancora quella del Canada).

Gli antenati del federalismo moderno

Sovente, si è cercato di rintracciare, in una età precedente l'affermazione dello Stato moderno, gli antecedenti storici delle moderne forme di federalismo. Come ha osservato lo scienziato politico William Riker: «Ad ogni stadio della storia del mondo fino ad oggi, alcune nazioni hanno sviluppato governi più ampi quando ciò diventava tecnicamente realizzabile, prima di tutto al fine di sfruttare i vantaggi militari di una tale soluzione. Sebbene all'alba della storia il metodo tipico per creare grandi governi fu la conquista, a tale scopo fu occasionalmente utilizzata anche la formazione di leghe o alleanze, di tribù o altre unità locali».

La prima applicazione dei principi federali è individuata nell'antica storia del popolo di Israele, a partire dal XIII secolo a.C. In quel caso la federazione tra le tribù di Israele, che sopravvisse per quasi sei secoli, prima di essere distrutta da forze esterne, scaturì da un duplice patto: il patto tra Dio e il suo popolo e il patto tra le tribù, un patto di associazione tra eguali. Esempi di federazioni nella storia antica sono forniti anche dalle leghe tra le città greche, come la lega Achea e quella Etolica. Fondate sull'identità di lingua, costumi, tradizioni religiose e di cultura politica, rispetto ai barbari stranieri, le confederazioni di città dell'Ellade, formatesi a partire dal VI secolo fino al II a.C., stringevano tra loro patti di alleanza principalmente a fini difensivi, che non mettevano in discussione l'autonomia politica delle singole città-stato.

Leghe di città si ritrovano anche nel periodo medievale e della prima modernità, istituite tra città commerciali dell'Europa centrale per la mutua difesa e assistenza; tra gli esempi più noti si possono citare la Lega lombarda (1167-1250) e la Lega anseatica (1158-1669). Storicamente ancor più rilevante fu la Confederazione delle tre repubbliche delle alpi svizzere, istituita nel 1291 a scopi difensivi e di tutela dell'autonomia rispetto agli Asburgo e agli imperatori del Sacro romano impero. Analogamente, nel 1579 si costituì una Confederazione tra le province settentrionali dei Paesi Bassi, per ribellarsi al dominio degli Asburgo. La Confederazione, conosciuta con il nome di Province unite dei Paesi Bassi, sarebbe come tale sopravvissuta per circa duecento anni, sino alla Rivoluzione francese.

Sullo sfondo di queste esperienze federative si colloca il Sacro romano impero, con la sua struttura feudale. Il suo progressivo indebolimento lo porta nella prima fase dell'età moderna a presentarsi come una debole struttura confederale, composta da una pluralità di domìni (regni, ducati, contee, vescovati, città imperiali) che si estendono nello spazio centrale del continente europeo di quello che è ormai divenuto un impero germanico, reciprocamente autonomi e aventi un riferimento comune nell'imperatore e nella Dieta imperiale.

Pur costituendo l'eredità medievale un elemento di grande significato per la comprensione del federalismo moderno, è però necessario sottolineare la cesura tra il *pluralismo politico* ereditato in Europa dal medioevo e proseguito per alcuni aspetti fino alla Rivoluzione francese, e il *federalismo moderno*, del quale abbiamo tracciato le caratteristiche strutturali fondamentali. Quest'ultimo, come hanno sostenuto studiosi come Giovanni Bognetti o Daniel Elazar, presuppone la grande semplificazione nel sistema delle autorità che caratterizza, a partire dai secoli XV e XVI, l'avvento della figura moderna dello Stato. Esso assume il carattere di un'alternativa al modello classico dello Stato nazionale centralizzato, senza, però, uscire dai parametri dell'edificazione dello Stato medesimo. Ma presuppone anche il riconoscimento dell'individuo con le sue libertà e i suoi diritti fondamentali; il carattere plurale dei sistemi federali moderni assume un significato diverso dalla pluralità precedente, premoderna, in quanto la divisione e la limitazione dei poteri che li contraddistingue viene posta a tutela di aspettative e pretese individuali che mai l'età premoderna aveva riconosciuto.

L'idea federale nella storia del pensiero politico

Per definire la *natura* dei sistemi federali, è stata spesso richiamata la loro origine pattizia, contrattuale; vale a dire, l'idea che essi siano sorti dall'accordo tra preesistenti comunità politicamente indipendenti. Nella storia del pensiero politico sono rintracciabili le tre modalità fondamentali attraverso cui si sarebbero originate le comunità politiche: la forza e, dunque, la conquista, che produce regimi organizzati in modo gerarchico; l'evoluzione organica, che implica lo sviluppo della vita politica a partire da famiglie, tribù e villaggi fino alle comunità politiche più estese; il patto (*foedus*), che implica l'unione volontaria di esseri umani come eguali per costituire corpi politici. La relazione pattizia investe sia il livello degli individui, sia quello di entità collettive. L'ordine politico originato dal patto, ciò significa, poggia sul consenso dei gruppi e delle comunità, così come su quello degli individui.

Ma quando, nella storia del pensiero politico, il concetto di federazione, intesa come unione pattizia di più unità politiche finalizzata al perseguimento di intenti comuni, appare per la prima volta? E quale evoluzione subisce? Certamente non appare nel pensiero antico: l'esperienza delle leghe delle città greche non porta allo sviluppo di un concetto che richiami quello di federalismo né in Platone, né in Aristotele, né in quei pensatori che seguirono le loro orme. Sono piuttosto le esperienze delle Confederazioni elvetica e dei Paesi Bassi che costituiscono la base empirica per la prima riflessione teorica sul federalismo (anche se il termine ancora non appare): quella basata sul concetto di *consociatio* del pensatore e uomo politico tedesco, vissuto a cavallo dei secoli XVI e XVII, Althusius.

Lo studioso e scienziato politico tedesco Carl Friedrich, maggiore artefice, nel secolo XX, della riscoperta dell'opera di Althusius, ha definito il sistema di unioni descritto nel suo scritto più noto, *Politica Methodice Digesta*, del 1603, una «unione federale». Essa è composta dalle famiglie, che sono unioni di individui, dai villaggi e dalle gilde, unioni di famiglie, dalle città, unioni di gilde, dalle province, che uniscono città e villaggi, dallo stato, o regno, che scaturisce dall'unione di queste province, e, infine, dall'impero, che sorge dall'unione di siffatti regni e delle città libere. Ai diversi livelli, dalla famiglia al regno, coloro che vivono insieme sono uniti da un *patto*, implicito o esplicito, per condividere beni allo scopo di perseguire interessi comuni. La concezione federale di Althusius, però, si distingue da quella federale moderna, che si afferma con la Rivoluzione americana, in virtù del carattere collettivo dei membri delle associazioni superiori: città, province, e quindi i regni e l'impero, non sono composti da individui, bensì dalle associazioni minori, mentre l'idea federale emersa a Filadelfia nel 1787, implica un'unione composta, oltre che dagli stati, dagli individui della federazione.

Nulla di rilevante accade, su questo fronte, per oltre un secolo e mezzo. In Thomas Hobbes e John Locke lo Stato è concepito in termini puramente individualistici, e ciò è altrettanto vero per filosofi come Spinoza, Leibniz e Pufendorf. In questi autori non è dato, cioè, di trovare alcun riferimento ad un ordine politico basato anche su unità politiche intermedie, ma solo su singoli individui. Nel *Secondo trattato sul governo* (1690) di John Locke troviamo il riferimento ad un *potere federativo*, che altro non è, però, che «il potere di guerra e pace, di fare leghe, alleanze e ogni altro negoziato con tutte le persone e le comunità estranee alla società politica».

Montesquieu discusse di una *repubblica federativa* nello *Spirito delle leggi* (1748); il termine federativo faceva qui riferimento a quel potere di stipulare accordi che già troviamo in Locke, anche se, come ha scritto Corrado Malandrino, «Montesquieu eleva il discorso sulla facoltà degli stati di addivenire ad accordi federativi dal livello dell'artificio di politica estera a quello dell'elaborazione teorica sulle forme di stato». Montesquieu distingue fra tre specie di governo: monarchico, ove vi è il governo legale di uno solo; repubblicano, ove governa tutto il popolo o una sua parte; dispotico, ove vi è un unico despota che governa al di fuori della legge. Il governo repubblicano sorge e si mantiene preferibilmente in un territorio dall'estensione limitata, a differenza delle monarchie e dei regimi dispotici, caratterizzati da grandi spazi. Una repubblica dalle dimensioni limitate, però, rischia di essere invasa e scomparire; al tempo stesso, se si ingrandisce, corre il rischio di corrompersi e perire per «vizi interni». La soluzione è nell'accordo tra diversi corpi politici che acconsentono a divenire cittadini di uno stato più ampio per scopi difensivi, una «società di società», «una forma di costituzione che possiede tutti i vantaggi interni del regime repubblicano e tutti quelli esterni del regime monarchico», vale a dire la repubblica federativa. Montesquieu, però, non propose alcuna analisi delle strutture istituzionali che tale repubblica avrebbe dovuto avere, per cui rimane non precisato il grado di compattezza che le diverse repubbliche avrebbero dovuto raggiungere nel nuovo ordinamento; anche se indicò quale elemento necessario per la sua creazione un principio, quello di *omogeneità*, che sarebbe poi stato ripreso nella Costituzione americana del 1787: il carattere repubblicano di tutte le unità componenti.

È un'esperienza concreta, la Convenzione di Filadelfia

del 1787, che produce la prima riflessione teorica sul moderno governo federale. James Madison, John Jay e Alexander Hamilton – protagonisti di quell'esperienza – preoccupati più da questioni pratiche che non da problemi filosofici, svilupparono in una serie di articoli, poi raccolti nel *Federalist*, un'esposizione compiuta ed una giustificazione a livello storico e teorico del nuovo sistema federale. E, dunque, della necessità di un nuovo e più forte governo federale e dell'utilità della separazione dei poteri funzionale (presidenzialismo) e territoriale (federalismo) per scongiurare una sua degenerazione tirannica.

Mentre negli anni successivi del XIX secolo il disegno federale americano si definiva e precisava ulteriormente, nell'Europa coeva, ove il liberalismo si era dispiegato essenzialmente all'interno del quadro dello Stato unitario, solo una minoranza di scrittori e pensatori politici dedicava la propria attenzione alla teoria federale; tra questi forse uno solo può essere avvicinato ai principi e ai valori difesi nel *Federalist*: Carlo Cattaneo (1801-1869). Pensatore e uomo politico italiano, vide nella soluzione federalista così come adottata in Svizzera e negli Stati Uniti, il rispetto della diversità e la salvaguardia della libertà, grazie alla moltiplicazione dei centri di potere e delle assemblee elettive. Tra i protagonisti del Risorgimento italiano, egli immaginò per l'Italia una federazione, gli Stati Uniti d'Italia, tra le regioni storiche italiane, risultato non di un'annessione, bensì di un'unione libera e consensuale.

Nel XX secolo le esperienze tragiche della Prima e della Seconda guerra mondiale hanno dato spazio alla riproposizione dell'idea, già presente negli scritti dell'abate di Saint Pierre e delineata da Immanuel Kant ne *L'idea di una storia universale dal punto di vista cosmopolitico* del 1784 e in *Per la pace perpetua* del 1795, di un pacifico ordine federale mondiale. Con l'opera dei due autori sopra citati, nello stesso secolo in cui scrive Montesquieu e in cui prende forma il *Federalist*, viene prospettata un'idea di federazione che, però, non è interessata alla costituzione di ordini politici particolari, bensì ad un ordine universale che sia anche un ordine pacifico. Il perseguimento della pace è, per Kant, indissolubilmente legato all'*organizzazione*: un'organizzazione degli stati (una federazione permanente tra stati aventi natura repubblicana, cioè non dispotica) fondata sul diritto, che consenta alla comunità internazionale di uscire dallo stato di natura, «che è uno stato di guerra».

Queste idee riacquistano vitalità nel Novecento. Ancor prima della fine del primo conflitto mondiale Woodrow Wilson, nel suo discorso dell'8 gennaio 1918, parlava di una «pace senza vittoria», che riconoscesse l'eguaglianza di diritto delle nazioni, anche le perdenti, riappacificate in un nuovo organismo internazionale; l'autodeterminazione dei popoli e la democratizzazione della vita internazionale; il disarmo e la libertà dei mari e dei traffici. Dopo la fallita esperienza della Società delle nazioni, progettata e voluta dallo stesso Wilson, sorta al termine della Prima guerra mondiale, la riproposizione di un organismo simile durante la Seconda guerra mondiale porta alla creazione dell'Organizzazione delle Nazioni Unite (Onu). I più convinti federalisti sosterranno la necessità della sua trasformazione in una vera e propria federazione mondiale. Tra essi si svilupperà un dibattito sulla strada da seguire per realizzare questo obiettivo: quella *funzionalista*, attraverso l'operare delle esistenti forme di cooperazione internazionale; quella del federalismo mondialista, interessato alla creazione di grandi federazioni continentali, ritenuta l'unica via per democratizzare le Nazioni Unite.

Una di queste federazioni continentali avrebbe dovuto essere quella europea. Nel contesto intellettuale delineato, infatti, si inserisce il dibattito europeista, che, già avviato nel primo dopoguerra, riprende con vigore durante e dopo la Seconda guerra mondiale.

2. Processi e forme del federalismo

I sistemi politici sorti per federazione, o che sono caratterizzati da un ampio grado di decentramento, presentano tra loro significative differenze. Giuristi e scienziati politici hanno cercato di interpretare tale complessa realtà attraverso categorie e concetti con i quali distinguere tra le diverse esperienze empiriche.

La distinzione più significativa elaborata all'interno della scienza giuridica, è quella tra Confederazione e Stato federale; solo nel secondo caso siamo di fronte ad un vero e proprio stato sovrano, mentre nel primo caso la sovranità resta prerogativa delle comunità federate. All'interno della scienza politica, alcuni tra i maggiori studiosi di federalismo hanno contestato la validità di questa netta distinzione, preferendo sottolineare l'esistenza di differenze di grado (un maggiore o minore grado di unione e cooperazione tra le sub unità) tra le esperienze federali, piuttosto che differenze di qualità, come nel caso della dicotomia proposta dai giuristi.

All'interno delle federazioni che hanno dato vita a veri e propri stati, le differenti modalità con cui poteri e competenze sono attribuiti ai vari livelli di governo nelle tante esperienze concrete, hanno suggerito la distinzione tra *federalismo verticale* e *federalismo orizzontale* e quella, parzialmente sovrapposta, tra *federalismo duale* e *federalismo cooperativo*. Al tempo stesso, un fenomeno relativamente recente, la cessione, da parte del centro, di poteri e competenze a comunità preesistenti (come il Galles e la Scozia in Gran Bretagna), che è stata spesso indicata con il termine *devoluzione*, ha arricchito la tematica del federalismo. Tematica che è giunta a ricomprendere anche situazioni ove l'assetto istituzionale poggia sull'accordo non tra comunità territorialmente definite, bensì tra comunità identificate dalle rispettive specificità culturali; tali situazioni sono state designate con le espressioni di *federalismo funzionale* o *corporativo*. Lo Stato federale, infine, è stato distinto da una più debole forma di decentramento, lo *Stato regionale*; la natura delle due fattispecie, però, negli studi più recenti è vista come sempre meno distinguibile.

Confederazione e Stato federale

Nella scienza giuridica, la cesura tra il governo federale moderno, le esperienze precedenti e le contemporanee forme di collaborazione tra stati, è interpretata attraverso il concetto di *sovranità*. Esso è stato utilizzato per distinguere tra Confederazioni e Stato federale. Lo Stato federale è un vero e proprio stato sovrano, al cui interno enti giuridici collocati ad un livello inferiore (stati, cantoni, *Länder*, province) non godono dell'attributo della sovranità, bensì di una semplice autonomia – limitata dalla sovranità statale – garantita dalla Carta costituzionale. I rapporti tra tali enti e tra essi e l'ente stato, è disciplinato dal *diritto costituzionale*. Diversamente, una Confederazione presenta vincoli tra stati sovrani, che, pur unendosi mediante un patto, non rinunciano alla loro sovranità; essi danno vita ad un'organizzazione sovranazionale, i cui poteri non sono originari, ma derivati dalla volontà degli stati costituenti. I rapporti tra i diversi enti sono regolati dal *diritto internazionale* che scaturisce dai trattati che hanno dato origine alla Confederazione.

Esempi storici di quest'ultima sono la Confederazione elvetica del 1815, quella tedesca sempre del 1815, gli *Articoli di confederazione* del 1777 tra le colonie americane. In tutti e tre i casi la Confederazione ha costituito storicamente la fase di preludio alla formazione di veri e propri stati federali, rispettivamente nel 1848, nel 1871 e nel 1787.

Quest'impostazione poggia su un concetto di sovranità come potestà originaria, assoluta e indivisibile, che risale al teorico politico francese del XVI secolo Jean Bodin. Nella scienza giuridica è però presente anche una concezione dello Stato federale basata sull'idea di una sovranità *divisibile*. È questa la concezione che emerge dal *Federalist*, ove Madison e Hamilton fanno esplicito riferimento ad una sovranità divisa tra il governo federale e i governi degli stati.

La scienza politica ha cercato di mettere ordine all'interno del fenomeno federale, senza però ricorrere al concetto di sovranità. La presa di distanza più radicale dall'idea di sovranità la troviamo in Friedrich. Per lo studioso, poiché la sovranità coincide con un potere assoluto e indivisibile, è, in quanto tale, incompatibile con la divisione dei poteri propria di ogni ordinamento costituzionale, e quindi di ogni ordinamento federale in quanto caso particolare di quello costituzionale. Tale incompatibilità è, addirittura, maggiore in questo secondo caso, dove, oltre ad una divisione orizzontale dei poteri, tra legislativo, esecutivo e giudiziario, si realizza anche una divisione territoriale tra più livelli di governo.

Pur non rifiutando l'idea di un potere sovrano, Elazar ha ritenuto che mediante l'organizzazione federale il problema dell'attribuzione (agli stati o alla federazione) della sovranità sia superabile. Egli ha colto nella soluzione federale americana la capacità di eludere il problema: «gli americani considerarono che la sovranità appartenesse al popolo. Le varie unità di governo – federali, statali o locali – potevano esercitare solo poteri delegati. Così era possibile che il popolo sovrano delegasse i suoi poteri al governo generale e a quelli costitutivi senza incappare, di norma, nel problema di quali di essi possedesse la sovranità, eccetto che nel campo delle relazioni internazionali».

Il federalismo come processo

Il rifiuto della netta dicotomia tra Stato federale e Confederazione ha portato Friedrich ad una concezione del federalismo in termini dinamici, che molta fortuna ha avuto tra gli studiosi. Ci riferiamo alla concettualizzazione del federalismo come *processo*, «il processo attraverso il quale delle comunità politiche separate giungono a degli accordi per produrre soluzioni comuni, adottare politiche congiunte, prendere decisioni comuni relative a problemi comuni». Secondo questo approccio, le relazioni federali sono fluide, non giungono mai ad una cristallizzazione definitiva: esse riflettono i cambiamenti negli equilibri tra i valori e gli interessi comuni e quelli specifici delle unità federate. I diversi assetti federali, presi in un dato momento della loro vicenda storica, possono essere posti lungo un *continuum* a seconda del grado di unità tra le parti componenti; le differenze saranno allora di grado: dalla minore unità delle Leghe e delle Confederazioni, alla maggiore unità dei governi federali dell'età moderna e contemporanea.

Secondo tale approccio, accolto, tra gli altri, da William Riker, la netta distinzione dicotomica tra Confederazione e Stato federale perde di valore. Non vi è più una differenza qualitativa legata all'attributo della sovranità, bensì di grado, nell'intensità del legame tra le unità costitutive e nei poteri di fatto esercitati dal livello federale.

Il *processo di federalizzazione* può essere considerato in atto anche nell'età contemporanea. Esso ha per protagonisti gli stati e i loro tentativi di trovare diverse forme di collaborazione. Leghe e confederazioni, pur con aspetti diversi, sono, infatti, presenti anche nella realtà odierna, ove si assiste alla rinascita di accordi confederali, dei quali un importante esempio è l'Unione europea. Accordi più *deboli*, rispetto ai legami tra le unità componenti propri delle confederazioni, sono definibili *leghe*: esse servono a collegare in modo durevole comunità interamente distinte, come il Commonwealth britannico o il North Atlantic Treaty Organization (Nato).

Un'ultima riflessione riguarda le possibili direzioni del processo di federalizzazione e i suoi esiti. Fino a questo punto abbiamo fatto riferimento a ordini politici più o meno coesi sorti dal federarsi di più unità politiche. Nella letteratura, però, è diffusa l'opinione (un'importante eccezione è costituita da Riker) che federali siano anche quegli ordini politici che, da sistemi unitari, si differenziano in un certo numero di unità separate e distinte, che nel nuovo ordinamento così realizzato si occupano di quelle questioni che non sono più ritenute di interesse comune al sistema nel suo complesso. Come nei casi del Belgio e della Spagna.

La distribuzione delle competenze: dal federalismo duale al federalismo cooperativo

Una classica distinzione in relazione alla distribuzione delle competenze, è quella tra federalismo verticale e federalismo orizzontale. Nel primo caso, esemplificato dall'esperienza federale statunitense, governo federale e governi degli stati possiedono, in linea di massima, poteri propri e indipendenti, dei quali si assumono l'intera responsabilità, dalla legislazione fino all'esecuzione. Il federalismo orizzontale, come nei casi della Germania e della Svizzera, riflette, invece, a parte alcune competenze interamente affidate alle unità federate, una divisione tra potere legislativo, detenuto principalmente dal livello federale, e amministrazione delle decisioni di entrambi i livelli, di cui sono responsabili gli stati o cantoni. Il federalismo verticale è stato definito anche federalismo duale, quello orizzontale federalismo cooperativo.

L'equilibrio nella distribuzione delle competenze, però, non è statico, ma ha, piuttosto, assunto nel tempo diverse configurazioni. Con l'espressione federalismo cooperativo sopra citata, ad esempio, più che alla semplice ripartizione di compiti legislativi e amministrativi tipica del federalismo orizzontale, ci si riferisce, in realtà, anche, sempre più, all'esistenza di forme di cooperazione più complesse, che si sono andate affermando nel XX secolo pressoché in tutti i sistemi federali.

La tendenzialmente netta separazione tra le competenze del federalismo duale, è propria dell'epoca liberale. Negli Stati Uniti, come in Svizzera, Canada, Australia e, con alcuni limiti, nella Germania imperiale (1871-1918), fino agli inizi del XX secolo lo Stato federale aveva continuato a riflettere i valori della costituzione liberale e del libero mercato. La formazione di un mercato unico nazionale operante in piena autonomia e certezza del diritto, costituì uno dei principali obiettivi delle costituzioni federali dell'epoca. Attraverso quelle carte era tutelato ed esaltato il ruolo di una società civile che, in modo libero, produceva e distribuiva ricchezza, e che, secondo la concezione liberale, era percepita come separata dallo Stato, titolare di diritti garantiti dalla limitazione dell'intervento del governo.

Lo sviluppo, nel XX secolo, e in particolare dopo i due conflitti mondiali, in Europa e negli Stati Uniti, della regolazione da parte dello Stato della vita economico-sociale delle comunità, che sul piano istituzionale ha portato ad un potenziamento del ruolo degli esecutivi, ha condizionato anche il funzionamento degli assetti federali. Nello Stato contemporaneo il federalismo si è trasformato da duale in cooperativo; la maggiore ingerenza statale ha portato ad una collaborazione sempre più stretta tra i diversi livelli di governo, a prescindere dalle attribuzioni formali delle competenze.

Ciò è avvenuto a livello legislativo, ove le competenze centrali, in particolare nell'ambito economico-sociale, sono sempre più estese. A tale livello, la cooperazione, che vede solitamente un ruolo sovraordinato del centro, può realizzarsi attraverso la legislazione concorrente (materie di competenza delle unità della federazione possono essere oggetto di interventi del governo centrale, al fine di tutelare gli interessi delle altre unità, della comunità federale più ampia, dei diritti dei cittadini) e le leggi-quadro, che lasciano agli stati membri la definizione delle norme di dettaglio. Rilevante è anche la collaborazione che si realizza laddove il governo federale detta le regole che dovranno poi essere attuate dagli stati o cantoni: un modello che abbiamo visto caratterizzare i sistemi svizzero e tedesco, ma che ha trovato spazio anche in sistemi federali in origine definibili duali come gli Stati Uniti.

Come ha osservato Giuseppe de Vergottini, è sempre meno rilevante la netta individuazione delle sfere di competenza, mentre aumenta il peso delle procedure di coordinamento tra centro e periferia. Queste possono essere *orizzontali*, quando riguardano le relazioni tra entità federate o si basano su di un rapporto di collaborazione paritario tra queste e lo stato, o *verticali*, quando al livello centrale è attribuita una posizione di supremazia. Queste forme di coordinamento possono assumere i caratteri più diversi, dalla presenza dei rappresentanti degli stati nella camera alta (senato), alla partecipazione ad organi misti stati-governo, all'intervento nel procedimento legislativo mediante proposte e pareri, e così via.

Il modello cooperativo di federalismo ha conseguenze rilevanti anche sul cosiddetto *federalismo fiscale*, principio secondo il quale dovrebbe esservi corrispondenza tra chi raccoglie i tributi necessari alla vita statale e sociale e chi li spende, e che comporta che ogni livello di governo si procuri in modo autonomo, attraverso tributi propri, le risorse necessarie allo svolgimento dei propri compiti, fatta salva la facoltà dello Stato di attuare interventi redistributivi e perequativi tra le diverse realtà. Come ha osservato Mauro Volpi, però, in nessuno Stato federale le entità federate godono di una autonomia impositiva esclusiva, e nei diversi casi, le risorse delle unità federate dipendono da diversi mix di imposte locali e trasferimenti dal governo centrale.

Nei sistemi federali contemporanei, il governo federale ha assunto prerogative in campo finanziario e fiscale sempre più significative. A differenza di quanto accadeva nell'epoca liberale, esso ha ora la possibilità di imporre imposte progressive sui redditi a tutti i cittadini, e non più avvalersi soltanto delle imposte indirette. Il che gli consente, da un lato, di godere di maggiori risorse finanziarie, dall'altro, di intervenire sulla distribuzione della ricchezza a livello nazionale. Le maggiori risorse finanziarie, di solito superiori a quelle di cui possono disporre tutti insieme gli stati membri, consentono oggi ai governi federali anche di incidere sulle politiche degli stati mediante trasferimenti condizionati, finalizzati a realizzare obiettivi specifici, solitamente, come nel caso degli Stati Uniti, relativi all'ambito sociale ed educativo.

Devoluzione

La parola devoluzione, e il suo corrispettivo inglese *devolution*, stanno sempre più entrando nel linguaggio politico per indicare un fenomeno che ha a che fare con processi che Friedrich definirebbe di federalizzazione.

Nell'uso che si va affermando, il termine indica un trasferimento di poteri e competenze dal centro verso livelli regionali, che si differenzia, però, da un semplice decentramento amministrativo, e può quindi condurre ad una riorganizzazione del precedente ordinamento unitario secondo principi che si richiamano al federalismo. Il ricorso a tale concetto è sempre più frequente nel discorso politico europeo, a fronte delle crescenti domande, da un lato, e delle effettive realizzazioni, dall'altro, di deleghe di poteri ai livelli inferiori di governo, spesso, anche se non necessariamente, conseguenza delle rivendicazioni di specifiche identità nazionali (dai baschi e catalani in Spagna, agli scozzesi e gallesi in Gran Bretagna, ai fiamminghi in Belgio).

In Italia il termine è sempre più frequentemente utilizzato per indicare proprio un significativo trasferimento di poteri alle regioni, nella prospettiva di un cambiamento dell'assetto istituzionale in senso federale, richiesto in particolare da talune forze politiche (prima tra tutte la Lega nord) e da talune regioni, in particolare quelle del Nord Italia.

L'uso della parola inglese, invalso anche nel dibattito politico italiano, non è casuale: il tema della devoluzione ha assunto negli ultimi anni rilevanza notevole proprio in un sistema tradizionalmente considerato unitario, la Gran Bretagna, dove in seguito agli atti legislativi del 1997 sono sorte due istituzioni a carattere regionale che minano alla base tale concezione unitaria: l'Assemblea gallese e il Parlamento scozzese. Data la rilevanza del fenomeno, varrà la pena soffermarsi brevemente su di esso.

Con l'approvazione dei progetti voluti dal governo laburista alla fine del 1997 per istituire l'Assemblea del Galles e il Parlamento della Scozia, seguita ai referendum tenutisi nelle due regioni nel settembre dello stesso anno, è stato compiuto un importante passo avanti nel processo di trasformazione del carattere unitario del Regno Unito. Questa affermazione può apparire sorprendente alla luce della teoria dominante, prevalente in Inghilterra, che considera il Regno Unito come uno Stato unitario, caratterizzato dalla sovranità del parlamento e da una sostanziale omogeneità della cultura politica. Elemento, quest'ultimo, costantemente ribadito dai maggiori scienziati della politica, da Gabriel Almond e la sua scuola al politologo di origine olandese Arendt Lijphart: «La società britannica ha un alto grado di omogeneità e la dimensione socioeconomica è la sola in cui i maggiori partiti divergono in modo chiaro e netto». Ma questa non è l'unica interpretazione esistente. Già Derek Urwin aveva notato come il Regno Unito fosse il risultato di una fusione di unità diverse (l'unione con il Galles risale al 1536, quella con la Scozia al 1701 e quella con l'Irlanda al 1880), con proprie specifiche identità. Identità significative a livello politico, con la presenza dei due partiti nazionalisti e il tendenziale favore goduto in Scozia e nel Galles prima dai Liberali e poi dai Laburisti, contro il tradizionale radicamento dei Conservatori nell'Inghilterra meridionale; ma anche riconosciuta al livello del governo centrale, anche grazie all'istituzione dello Scottish Office nel 1885 e del Welsh Office nel 1965.

Il Regno Unito può, allora, essere definito un'*unione legislativa*, «una comunità composita, nella quale le unità costitutive trovano la propria espressione costituzionale in istituzioni comuni invece che nel separatismo». Secondo Elazar, esso, ancor prima delle recenti riforme, poteva essere considerato una comunità di quattro paesi e diverse isole minori; un sistema basato su accordi costituzionali in grado di garantire alla Scozia un'amministrazione locale, una legislazione ufficiale e una banca centrale, al Galles una certa misura di autogoverno culturale e di autonomia amministrativa, all'Ulster l'autogoverno con la propria assemblea legislativa.

Le due nuove istituzioni gallese e scozzese non sono garantite da una Costituzione scritta, della quale è priva la stessa Gran Bretagna, ma sono comunque rafforzate nella loro legittimità dai referendum che hanno preceduto la loro creazione e che attribuiscono loro un carattere irreversibile. Il Parlamento scozzese gode di maggiori poteri rispetto all'Assemblea gallese. Esso può legiferare in qualsiasi materia che non sia specificamente riservata al parlamento di Westminster ed ha un limitato potere di tassazione. L'Assemblea del Galles, invece, può emanare solo una legislazione secondaria, vale a dire, può emanare provvedimenti nell'ambito delle linee indicate dalla legislazione di Westminster, un potere di fatto comunque non trascurabile. Settori nei quali entrambe le assemblee godono ormai di poteri estesi sono la sanità, l'educazione, le politiche sociali, il governo locale e lo sviluppo economico. Una particolarità di questo processo, incrementale e non pianificato, che rende difficile prevedere quali ne saranno gli esiti futuri, è la sua forte asimmetria. L'Inghilterra non è, infatti, coinvolta nel processo, e lo stesso governo laburista si è mostrato piuttosto esitante, visto lo scarso entusiasmo che essa ha mostrato a questo proposito.

Federalismo funzionale e corporativo

Alla fine degli anni Sessanta, Lijphart ha introdotto nella scienza politica l'espressione «democrazia consociativa». Con essa si designano quei sistemi politici con società divise lungo linee etniche, religiose o ideologiche (Belgio e Olanda fino alla fine degli anni Sessanta, Svizzera) e organizzate al loro interno attorno a questi fattori di differenziazione. In tali sistemi le élite politiche e partitiche che si trovano al vertice delle diverse subculture, attraverso l'uso di meccanismi formali e informali, cercano di raggiungere compromessi che consentano di governare senza, al tempo stesso, arrecare danno agli specifici interessi delle diverse subculture, in particolare quelli inerenti le loro identità.

Tra gli assetti federali e quelli consociativi sono state messe in rilievo alcune affinità, che hanno portato a definire i secondi come esempi di *federalismo funzionale*. Tra le principali, l'istituzionalizzazione del pluralismo e la conseguente ricerca di un consenso molto ampio, superiore e diverso dalla regola della maggioranza semplice, per prendere decisioni: nel caso del federalismo le maggioranze sono formate da territori distinti, in quello del consociativismo da gruppi concorrenti. Ciò ci porta ad una importante differenza: il federalismo ha base territoriale, il consociativismo no, la consociazione avviene tra gruppi definiti culturalmente. Altra differenza è che gli arrangiamenti consociativi hanno un riconoscimento solo parziale e spesso informale al livello delle istituzioni di governo, e nessun riconoscimento a livello costituzionale, mentre le istituzioni federali sono garantite costituzionalmente. Un'eccezione a questa regola è costituita dalla particolare forma di quello che per la prima volta Friedrich definì «federalismo corporativo»: un riconoscimento costituzionale di particolari prerogative a gruppi culturalmente distinti non concentrati territorialmente. Un esempio è fornito dalla Costituzione di Cipro del 1960: alle minoranze greca e turca fu concessa ampia autonomia attraverso l'istituzione di due camere, una per ogni comunità, elette separatamente e dotate di poteri legislativi esclusivi in materia religiosa, educativa, culturale e nella sfera relativa allo status personale. Anche il processo di revisione costituzionale avviato in Belgio nel 1970 e conclusosi nel 1993, ha portato a forme di federalismo corporativo con l'istituzione di tre separate comunità culturali costituzionalmente riconosciute.

Stato federale e Stato regionale

Nell'ambito della scienza giuridica, se, da un lato, si è distinto tra Confederazione e Stato federale, dall'altro, si è cercato di tracciare una distinzione tra Stato federale e Stato regionale, dove con il termine di regione si fa riferimento all'articolazione territoriale più vasta all'interno dello Stato. Già negli anni Trenta, Gaspare Ambrosini aveva identificato lo Stato regionale come «tipo intermedio di Stato fra l'unitario e il federale», che si sarebbe distinto da quest'ultimo in quanto al suo interno le regioni non avrebbero assunto quella «qualità e dignità degli stati membri di uno Stato federale». Tale forma si sarebbe invece nettamente distinta dallo Stato unitario, in quanto in esso province e regioni godono di poteri delegati e quindi revocabili, mentre alle regioni dello Stato regionale sono conferiti poteri irrevocabili che finiscono per essere dotati di natura costituzionale (come nel caso italiano).

Diverse sono le caratteristiche che differenziano lo Stato regionale dalla fattispecie federale. Tra le più rilevanti: la non partecipazione delle regioni al processo decisionale centrale, in particolare per l'assenza di una camera alta che come negli stati federali rappresenti le diverse unità componenti; la non partecipazione al processo di revisione costituzionale; l'esplicita assegnazione in costituzione di competenze alle regioni e non allo Stato centrale, con la conseguente attribuzione delle competenze residue allo Stato; la non titolarità di funzioni giudiziarie. Inoltre, gli stati regionali sono visti come il prodotto storico di processi di decentramento politico, mentre quelli propriamente federali come l'esito di processi federativi tra entità precedentemente indipendenti.

Tra gli stessi giuristi, tali distinzioni hanno sollevato non pochi dubbi. Già Costantino Mortati negli anni Cinquanta era giunto alla conclusione che l'unica differenza qualitativa che potesse essere riconosciuta tra le due forme di stato, fosse quella relativa alla partecipazione al potere di revisione costituzionale. Oggi, studiosi quali Luciano Vandelli e Giuseppe de Vergottini tendono a non riconoscere come discriminante nemmeno tale fattore. Alla luce delle concrete esperienze degli stati definiti regionali o federali è, a loro parere, difficile identificare vere e proprie differenze di qualità.

La supposta origine esclusivamente federativa degli stati federali è opinabile se si guarda ai casi dell'Austria e del Belgio dopo il 1993; e contrasta con l'idea, dominante nella letteratura, per la quale federali sono anche quei sistemi sorti dalla divisione di precedenti sistemi unitari. Per quanto concerne le competenze delle unità componenti, si può, inoltre, rilevare che non in tutti i casi federali, nella Costituzione, le competenze elencate sono quelle del livello centrale: in Canada, ad esempio, le competenze sono elencate sia per le province sia per il governo centrale.

Relativamente alla camera alta, organizzata per rappresentare le unità della federazione, è vero che stati identificati solitamente come regionali sono piuttosto carenti da questo punto di vista, ma è anche vero che vi sono esempi di una pur limitata rappresentanza degli enti territoriali nella camera alta, come è il caso del senato spagnolo. Esistono, inoltre, diverse forme di partecipazione delle regioni a organi centrali (come la Conferenza stato-regioni in Italia) e al processo decisionale centrale. L'iniziativa legislativa regionale, la promozione di referendum, l'elezione del presidente della Repubblica in Italia; la partecipazione ai lavori parlamentari in sede di elaborazione degli statuti, l'iniziativa legislativa, il concorso alla pianificazione statale in Spagna, sono tra i principali esempi. Per quanto riguarda, infine, la titolarità delle funzioni giurisdizionali, si può notare come esse siano assenti nel caso dei *Länder* tedeschi, mentre vi è qualche esempio di partecipazione degli enti regionali a tali funzioni, come nei casi della Costituzione spagnola e di quella belga.

La contrapposizione tra le due realtà ha, dunque, perso forza nel pensiero giuridico. Ad essa è riconosciuto essenzialmente un significato storico: la figura dello Stato federale avrebbe avuto origine a partire dall'osservazione dei processi di trasformazione di confederazioni in stati federali (Stati Uniti, Svizzera, Germania); quella dello Stato regionale, dall'osservazione di processi di decentramento a partire da stati unitari. La distinzione, anche se storicamente fondata, non implicherebbe, secondo Vandelli, alcuna conseguenza sugli ordinamenti giuridici. Stato federale e Stato regionale non sono più, di conseguenza, considerati diversi dal punto di vista tipologico; la differenza è soltanto quantitativa, poiché, di regola, come ha osservato de Vergottini, nel primo «il volume delle funzioni legislative, amministrative e giurisdizionali e degli ambiti di competenza assegnati dalla Costituzione agli enti territoriali è più ampio e consistente di quello presente negli stati qualificati come regionali».

Non può sfuggire il fatto che l'affievolirsi della distinzione tra la fattispecie federale e quella regionale, in seno al pensiero giuridico, sia resa possibile dall'attribuzione in entrambi i casi del potere sovrano al governo centrale. Stati federati e regioni sono, in quella prospettiva, accomunati dall'essere subordinati a tale governo e, dunque, non distinguibili sulla base della sovranità, attributo che serve invece a differenziare nettamente la Confederazione (la sovranità è propria degli stati federati) dallo Stato federale (la sovranità è propria del governo centrale).

Nella scienza politica la distinzione, invece, permane. Possiamo infatti osservare che, se, da un lato, autori come Friedrich, Riker, Elazar, tendono a concepire il fenomeno del federalismo in termini dinamici, in grado di ricomprendere una varietà di forme istituzionali, dall'altro, quando parlano di federazione (Elazar) e governo federale (Friedrich), tendono a individuare caratteristiche definitorie ben precise che li portano a distinguere quelle forme dai sistemi regionali. Friedrich, da un lato, assimila le relazioni federali a quelle regionali, in quanto entrambe presuppongono l'esistenza di subcomunità con una propria storia e identità.

Dall'altro, individua tratti specifici che distinguono il governo federale da quello regionale: la partecipazione delle unità componenti al processo legislativo nazionale, in particolare attraverso la rappresentanza nella camera alta, e al processo d'emendamento costituzionale. Elazar, scrivendo nella seconda metà degli anni Ottanta, riteneva che Italia, Spagna e Belgio, nel contesto di una più generale rivoluzione federalista che stava investendo l'Europa, andassero *regionalizzandosi*. Egli considerava questi casi qualitativamente diversi da quelli delle federazioni, definendoli stati tecnicamente unitari che usano principi federali. La differenza qualitativa poggia sulla presenza nelle federazioni, e nell'assenza nei sistemi regionali, di un ordine non gerarchico tra i diversi governi, centrale e statali. Un indicatore della permanenza del principio gerarchico negli ordinamenti regionali è la mancata partecipazione delle unità componenti al processo decisionale centrale.

Il ruolo svolto dalle subunità nella formazione della politica nazionale è, dunque, l'elemento che, più di ogni altro, in questi approcci consente di distinguere tra sistemi federale e regionale.

3. Il prototipo del governo federale:
gli Stati Uniti d'America

Gli «Articoli di confederazione»

Negli anni Cinquanta del Settecento, ad opera di Thomas Hutchinson e Benjamin Franklin, era stato elaborato un primo progetto di federazione tra le colonie inglesi del territorio nordamericano. Il piano, *Albany Plan of Union*, prevedeva un'assemblea permanente delle colonie, presieduta da un governatore della corona. Esso fallì, a causa della riluttanza dell'Inghilterra a creare un governo unitario delle colonie, nonché delle rivalità e dei conflitti tra di esse.

Fu la guerra con l'Inghilterra che si rivelò decisiva per avviare in modo definitivo il processo di federazione tra le tredici colonie. Nel giugno del 1776, il Congresso continentale, sorto nel 1774 come organo di coordinamento tra le colonie, e che il 4 luglio 1776 avrebbe votato la Dichiarazione di Indipendenza, incaricò una «commissione dei tredici» (composta da un rappresentante per colonia) di redigere un piano di confederazione. Il documento fu portato a termine definitivamente nel novembre del 1777 e approvato dal Congresso il 9 luglio 1778, anche se la ratifica finale da parte di tutti gli stati vi fu solo nel 1781.

Gli *Articoli di confederazione e di unione perpetua tra i primi tredici stati* (New Hampshire, Massachusetts Bay, Rhode Island e Piantagioni di Providence, Connecticut, New York, New Jersey, Pennsylvania, Delaware, Maryland, Virginia,

North Carolina, South Carolina, Georgia), davano vita ad una «lega di amicizia reciproca, per la comune difesa, per la sicurezza delle proprie libertà, per il conseguimento di una prosperità generale e reciproca» (art. III), tra stati che conservavano «la propria sovranità, libertà e indipendenza» (art. II). Unico organo previsto era il Congresso continentale, ove i singoli stati avevano ciascuno un voto e inviavano propri rappresentanti, da due a sette, che potevano sostituire in qualsiasi momento. Mentre non erano previsti né un organo giudiziario, né un organo esecutivo. Era il Congresso, inoltre, che aveva la competenza di decidere in ultima istanza delle controversie tra stati. Riprendendo la classica distinzione dei giuristi, possiamo definire quest'unione una confederazione.

Funzioni principali dell'Unione erano la difesa e la politica estera. La Confederazione, attraverso il Congresso, aveva l'esclusivo potere di dichiarare la guerra e concludere la pace. Le truppe, però, erano fornite e organizzate dagli stati, che avevano il potere di nominare tutti gli ufficiali fino al grado di colonnello.

È evidente la forte dipendenza del funzionamento dell'Unione dalla volontà degli stati. Questi controllavano il Congresso, ove ognuno possedeva un voto; non esisteva un vero e proprio organo esecutivo, e i comitati *ad hoc* creati per svolgere le diverse incombenze federali funzionavano a seconda della maggiore o minore disponibilità degli stati a sottostare alle loro direttive.

Alla Confederazione, inoltre, non erano forniti mezzi finanziari propri, non avendo essa la facoltà di imporre tasse e «regolare il commercio», vale a dire imporre quei dazi doganali che erano, all'epoca, la principale fonte di entrate fiscali. Essa era quindi costretta a ricorrere, per ogni sua attività, a richieste di finanziamento, non sempre onorate, agli stati. Ciò si tradusse in gravi inefficienze, in particolare durante la Guerra di Indipendenza. Come rilevò Hamilton:

«Gli stati che si trovavano vicini al fronte bellico, sotto la spinta dell'istinto di conservazione, fecero sforzi inauditi, superiori anche alle proprie possibilità, per poter fornire le quote loro assegnate; mentre quelli lontani furono, per la maggior parte, tanto negligenti quanto gli altri erano stati solerti».

Dopo la fine della guerra (1783), il debole potere della nuova Confederazione si trovò a convivere con una situazione di elevata conflittualità tra gli stati, alimentata prevalentemente da rivalità commerciali e dissidi sulla suddivisione delle terre dell'Ovest, e con una difficile situazione internazionale: l'Inghilterra era presente in Canada e all'Ovest con postazioni non ancora smantellate, la Spagna controllava lo sbocco del Mississippi e dunque il commercio del Sud.

La Convenzione di Filadelfia e la nuova Costituzione

Fu in questa situazione che fu convocata per il 1787 a Filadelfia una convenzione, allo scopo di rivedere ed emendare gli *Articoli di confederazione*.

Il disegno costituzionale che emerse a Filadelfia dal lavoro di una cinquantina di delegati di tutti gli stati, ad eccezione del Rhode Island, fu il compromesso tra posizioni e interessi diversi; tra stati grandi e stati piccoli; tra stati del Nord e stati del Sud. Ma, soprattutto, fu il compromesso tra coloro che volevano dare vita ad un nuovo, forte governo federale (i *nazionalisti*, che avrebbero poi assunto il nome di *federalisti*) e coloro che volevano migliorare la Confederazione senza ledere l'autonomia degli stati (i federalisti, che nel dibattito successivo alla stesura della Costituzione sarebbero poi stati denominati *antifederalisti*). I primi si riconoscevano nel *Virginia Plan*, progetto redatto dal virginiano James Madison. Esso prevedeva la creazione di un parlamento ove gli stati fossero rappresentati in proporzione alla loro popolazione e con il potere di legiferare su qualsiasi materia, ed un esecutivo centrale dotato di un potere di veto incondizionato sulle leggi degli stati. Sostenuto dai delegati della Virginia e degli stati più grandi, al *Virginia Plan* fu contrapposto il *New Jersey Plan*, sostenuto dagli stati più piccoli, che riproponeva gli *Articoli di confederazione* con alcune modifiche di rilievo, come il conferimento al governo centrale della facoltà di imporre tariffe doganali. Fu il progetto elaborato da Madison a fornire la base della futura Costituzione, anche se su diversi punti fu necessario giungere a compromessi.

Dalla Convenzione di Filadelfia, nasceva, così, un vero e proprio governo, con struttura federale, con organi propri, un esecutivo, un legislativo ed un giudiziario. Tale governo poteva esercitare, ora, la propria autorità non più soltanto sugli stati membri, bensì anche direttamente sui cittadini; cittadini dei rispettivi stati così come della più ampia federazione. Esso godeva, inoltre, di un controllo esclusivo e completo su tutta la politica estera ben più ampio e integrale rispetto alla precedente Confederazione.

La sottrazione di poteri agli stati, che, pure, rimanevano i principali e autonomi regolatori della vita dei loro cittadini, doveva investire anche il campo dei commerci. Agli stati furono tolti tutti quei poteri il cui esercizio avrebbe potuto ostacolare il formarsi di un mercato unico nazionale: il potere di impedire le esportazioni dal proprio territorio e esigere dazi sulle importazioni; di imporre la propria carta moneta come mezzo di pagamento; di fare leggi intaccanti le obbligazioni dei contratti; di frapporre ostacoli alla libera circolazione di persone, capitali e merci. Nel campo sociale ed economico, l'attribuzione di poteri al governo federale fu molto limitata; la norma più significativa a tal proposito fu sicuramente la *commerce clause*, il diritto «di regolare il commercio con le altre nazioni e fra i diversi stati e con le tribù indiane». Questa norma costituzionale fu sempre interpretata in modo piuttosto esteso dal governo federale, ma solo nel XX secolo sarebbe divenuta uno strumento rilevante per il deciso rafforzamento del suo ruolo rispetto a quello degli stati. Il governo federale fu anche dotato delle risorse necessarie a svolgere le proprie competenze grazie alla facoltà «di imporre e percepire tasse, diritti, imposte e dazi».

I «Federalist Papers»

Approvata dalla Convenzione di Filadelfia il 17 settembre del 1787, la Costituzione per entrare in vigore richiedeva la ratifica di almeno nove stati (art. VII). Fu così che nei mesi successivi si svolse un acceso dibattito tra i difensori della nuova Carta costituzionale, che progressivamente assunsero l'etichetta di federalisti, e il fronte ad essa ostile, gli antifederalisti. Questi (che avevano le loro basi prevalentemente nel Sud) contestavano, innanzitutto, l'attribuzione nel Preambolo della Costituzione, della sovranità ad un *popolo* degli Stati Uniti («We, the people of the United States») che per essi era pura finzione. Gli oppositori della nuova Costituzione, temevano, inoltre, un governo troppo distante e oppressivo, e guardavano con maggior favore ad una struttura meno centralizzata, di carattere confederale. Le tesi dei federalisti trovarono la loro maggiore espressione in una serie di articoli pubblicati tra l'ottobre 1787 e il marzo 1788, poi raccolti in un unico volume, il *Federalist.* Autori di questi articoli furono tre importanti esponenti del movimento per l'indipendenza nei rispettivi stati, Alexander Hamilton e John Jay dello Stato di New York e James Madison della Virginia. I *Federalist Papers* sono considerati il più importante commentario alla Costituzione, ma anche la prima formulazione della teoria dello Stato federale, come tale influente anche al di fuori degli Stati Uniti.

Con quegli articoli, gli autori cercarono di convincere i

loro concittadini, da un lato, che il fine della nuova unione federale era quello della difesa dei suoi membri da attacchi esterni, ma anche dalla possibile tirannia all'interno, dall'altro, della necessità di avere un governo sufficientemente forte per lo svolgimento dei compiti della federazione. Per evitare che proprio tale governo si trasformasse in un tiranno, doveva essere adottata la *separazione dei poteri*. Vale a dire, un sistema di garanzie per tutelare i cittadini dai possibili abusi del potere governativo, realizzato mediante la limitazione di quel potere attraverso la sua attribuzione a diverse istituzioni e il bilanciamento reciproco tra di esse. Nel caso degli Stati Uniti tutto ciò avrebbe assunto una duplice forma: quella di separazione tra organi costituzionali (presidente, Congresso, sistema giudiziario); quella, di tipo territoriale, tra governo federale e governi degli stati.

Una Costituzione scritta, suprema e rigida. Il «Bill of Rights»

La Costituzione americana del 1787 rappresenta il primo esempio di Costituzione scritta di uno Stato moderno. Essa fu posta dai Padri fondatori quale legge suprema del paese: «La presente Costituzione e le leggi degli Stati Uniti che verranno fatte in conseguenza di essa, e tutti i trattati conclusi, o che si concluderanno, sotto l'autorità degli Stati Uniti, costituiranno la legge suprema del paese; e i giudici di ogni stato saranno tenuti a conformarsi ad essi, quali che possano essere le disposizioni in contrario nella legislazione di qualsiasi singolo stato» (art. VI).

Al carattere di legge suprema della Costituzione americana, è collegata anche la sua rigidità, vale a dire il fatto che essa può essere modificata, emendata, solo con maggioranze *qualificate*, che richiedono il concorso sia del livello federale, sia di quello degli stati. La Costituzione prevede, infatti, che la proposta di emendamenti possa provenire o dai due terzi di entrambi i rami del Congresso (parlamento), uno dei quali rappresenta gli stati in modo paritario, o da una assemblea appositamente convocata su richiesta dei due terzi dei legislativi dei vari stati. Gli emendamenti proposti, poi, dovranno essere ratificati dai parlamenti di tre quarti degli stati, oppure dai tre quarti dell'assemblea di cui sopra.

Il compito di garantire il rispetto dei reciproci ambiti di competenza (definiti costituzionalmente attraverso l'esplicita elencazione delle materie di competenza del Congresso – art. I, sez. 8), da parte delle autorità statali e federali, fu attribuita dai Padri fondatori ad una Corte suprema. Difficilmente si potrebbe affermare che i membri della Corte suprema, oggi nove giudici nominati a vita dal presidente con l'assenso del senato, nella lunga storia degli Stati Uniti abbiano mostrato comportamenti neutrali: secondo i periodi, essi hanno favorito ora il governo federale, ora gli stati. Certo è, che la Corte suprema svolse una funzione cruciale nel rafforzamento del governo federale nel primo periodo della Repubblica, in particolare durante il lungo periodo in cui essa fu presieduta dal giudice John Marshall (1801-1835).

Una competenza che la Costituzione non attribuì esplicitamente alla Corte suprema e agli organi giudiziari in generale, fu quella del *controllo di costituzionalità delle leggi*, del controllo, cioè, dell'eventuale violazione delle disposizioni costituzionali da parte della legislazione ordinaria. Vi fu chi, però, tra i partecipanti alla Convenzione, considerò quella funzione la conseguenza logica ed inevitabile del carattere fondamentale della Costituzione. Come, ad esempio, Hamilton: «L'interpretazione delle leggi è compito preciso e specifico delle Corti. Una Costituzione è, in effetti, e così deve essere considerata dai giudici, una legge fondamentale. Spetta pertanto a loro precisarne i veri significati, così come le conseguenze specifiche di ogni atto che provenga dagli organi legislativi».

Fu proprio questo l'argomento avanzato dal giudice Marshall nella sentenza *Marbury contro Madison* del 1802. In quell'occasione, per la prima volta la Corte suprema annullava un atto del Congresso e imponeva così il principio della revisione giudiziaria delle leggi federali. Tale principio fu poi esteso, nel 1810, nel caso *Fletcher contro Peck*, sempre ad opera del giudice Marshall, alla legislazione degli stati, che veniva, così, vincolata al controllo di un organo federale.

I dieci articoli conosciuti con il nome di *Bill of Rights* (la Carta dei diritti), furono introdotti nella Costituzione, sotto forma di emendamenti, solo nel 1791, su iniziativa di James Madison. Alla loro introduzione si era opposto Hamilton, che li considerava superflui, ritenendo sufficiente per la tutela dei cittadini la limitazione dei poteri del governo centrale realizzata attraverso il nuovo assetto costituzionale federale.

Madison, che si era nel frattempo avvicinato alle posizioni più sensibili ai diritti degli stati, e diffidenti nei confronti del potere centrale e delle sue potenzialità di oppressione, vide, invece, nella Carta dei diritti un'ulteriore garanzia rispetto alle possibili usurpazioni del governo federale. Per lungo tempo, d'altro canto, tale Carta fu interpretata dalle corti come una limitazione alle azioni dei soli organi federali, non come una garanzia dei diritti dei cittadini contro qualsiasi potere pubblico o privato.

La separazione dei poteri: il presidenzialismo

Dalle pagine del *Federalist*, il principio della *separazione dei poteri* emerge come il solo in grado di garantire che un governo forte non si trasformi in un governo tirannico (come troppe volte era accaduto in Europa). Nel caso americano esso si realizza sia mediante la distribuzione del potere tra organi costituzionali posti allo stesso livello (statale o federale); sia mediante la distribuzione del potere tra governo federale e governi statali, tra governi, cioè, che amministrano ambiti territoriali differenti. Il primo tipo di separazione costituisce l'elemento caratterizzante del modello *presidenziale* americano e, nella sua evoluzione, ha svolto un ruolo significativo per il coevo sviluppo della natura federale degli Stati Uniti.

La Costituzione americana attribuisce il potere esecutivo ad un presidente che rimane in carica per quattro anni, e ad un vicepresidente. Il presidente è eletto da un collegio *ad hoc*, formato da grandi elettori scelti dai cittadini di ogni stato, in un numero pari al numero di deputati e senatori attribuiti ad ognuno di essi. Poiché i grandi elettori sono vincolati a sostenere il candidato alla presidenza al quale si sono abbinati prima della loro elezione, di fatto l'elezione presidenziale assume la forma di un'elezione diretta. La presidenza è una istituzione separata rispetto al Congresso (legislativo), in quanto, a differenza di quanto avviene nei sistemi parlamentari, sia la sua nascita – elezione mediante collegio – sia la sua permanenza in carica, non dipendono dal Congresso, che non ha alcun potere di *sfiduciare* il presidente e farlo dimettere. Così come, d'altro canto, il presidente non ha il potere di sciogliere il Congresso. Il sistema di governo statunitense è, dunque, un sistema di governo *separato*, in quanto il presidente e il Congresso godono di una legittimazione elettorale indipendente l'uno dall'altra, e nessuna delle due istituzioni può porre termine al mandato dell'altra.

Al presidente è attribuita la funzione esecutiva (art. II, sez. 1), al Congresso quella legislativa (art. I, sez. 1). In realtà, tali funzioni non sono esercitate dai rispettivi organi in maniera esclusiva; il presidente concorre alla funzione legislativa formalmente attraverso il potere di veto sulla legislazione approvata dal Congresso e informalmente attraverso la sua influenza sui membri del parlamento; il Congresso (attraverso il senato) concorre alla funzione esecutiva mediante l'approvazione, tutt'altro che formale, delle nomine presidenziali dei membri del governo, degli alti funzionari, dei componenti la Corte suprema, nonché dei trattati internazionali. Per questi motivi appare più corretto parlare di *istituzioni separate*, piuttosto che di *separazione delle funzioni*.

La concentrazione del potere esecutivo in una sola persona fu considerato positivamente da Hamilton, che vedeva in essa un prerequisito per un governo forte, a sua volta «caratteristica principale di buon governo». In realtà, per tutto il XIX secolo il Congresso manterrà una collocazione di centro del potere governativo, tanto che Woodrow Wilson definì, alla fine del secolo scorso, tale sistema di governo *Congressional Government*. Questo ha consentito a lungo la preminenza degli interessi statali e locali rappresentati nella camera dei rappresentanti e nel senato, rispetto a quelli nazionali.

È solo nel XX secolo che si assiste all'ascesa della presidenza, che si rifletterà anche nel rafforzamento del governo federale rispetto agli stati. Le trasformazioni sociali, economiche, tecnologiche, intervenute (anche come conseguenza dei due conflitti mondiali) nella prima metà del secolo scorso, infatti, hanno mutato il ruolo dello Stato nella società e nell'economia, e, come ha rilevato il politologo Sergio Fabbrini, lo hanno condotto ad assumere «un grado di responsabilità economico sociale così alto che non ha precedenti». Ciò, ha fatto sì che le assemblee parlamentari siano apparse non più in grado di prendere prontamente quella mole di decisioni implicate da questi cambiamenti. Il generalizzato fenomeno del rafforzamento degli esecutivi che ne è conseguito, ha preso la forma, negli Stati Uniti, di una progressiva delega di poteri legislativi da parte del Congresso al presidente. Una delega resa possibile dall'ambiguità del testo costituzionale rispetto ai poteri presidenziali, ma, soprattutto, dalla *democratizzazione* (e corrispettivo rafforzamento) della presidenza: chi ricopre quella carica viene progressivamente ad assumere un collegamento sempre più diretto con il voto popolare, che ne rafforza la legittimazione.

Durante il XIX secolo, infatti, l'elezione dei membri del collegio elettorale passò progressivamente dalle mani dei legislativi statali a quelle degli elettori degli stati, chiamati direttamente a scegliere i candidati per il collegio (i grandi elettori) che avevano espresso la volontà di votare per uno o l'altro dei candidati presidenziali. Insieme al carattere vincolato del voto dei grandi elettori a cui abbiamo fatto cenno, ciò ha trasformato l'elezione del presidente in una vera e propria elezione diretta da parte dei cittadini degli Stati Uniti. Tali cittadini, hanno anche la possibilità di intervenire sulla scelta dei candidati dei due principali partiti, Repubblicano e Democratico. Ciò, attraverso le *primarie*, che si svolgono, con meccanismi diversi, in ognuno dei 50 stati, e portano alla scelta dei delegati (impegnati a sostenere uno degli aspiranti candidati) ai due congressi (*conventions*) di partito, ove vengono scelti il candidato alle elezioni presidenziali e il suo vice.

La separazione dei poteri: il federalismo

I Padri fondatori erano ben consapevoli che il loro disegno costituzionale costituisse un'innovazione. E non vi è dubbio che questa consapevolezza fosse giustificata innanzitutto dall'*invenzione* del governo federale.

La novità delle istituzioni federali consiste nel far coesistere diversi centri territoriali di potere, ognuno dei quali ha l'ultima parola in certe materie, senza che vi sia alcun rapporto di subordinazione gerarchica. Tale concezione fu espressa da Hamilton con l'idea di una divisione della sovranità tra governo federale e stati, di un'alienazione parziale della sovranità da parte di questi ultimi al governo federale, ma solo nei casi previsti dalla Costituzione: «i governi statali manterrebbero, evidentemente, tutte le prerogative sovrane già in loro possesso, che non vengano demandate, in base alla Costituzione, *esclusivamente* agli Stati Uniti».

Tutto ciò si tradusse in una divisione verticale delle competenze, tale per cui governo federale e governi degli stati membri si ripartivano le materie sulle quali legiferare e amministrare, senza, in linea di massima, interferenze reciproche. Era questo il modello del *dual federalism*, che costituì a lungo il punto di riferimento della giurisprudenza costituzionale americana, ma che entrò definitivamente in crisi con il *New Deal* rooseveltiano.

Le principali competenze del governo federale, esplicitamente attribuitegli dalla Costituzione (*enumerated powers*) riguardavano principalmente la difesa e la politica estera. Significativi anche i poteri di raccogliere proprie risorse con la tassazione e l'emissione di titoli pubblici, e i poteri esclusivi di battere moneta e «regolare il commercio». Agli stati erano attribuiti i poteri residui. Così funzioni quali l'istruzione, la sanità pubblica, l'ordine interno mediante corpi di polizia, l'istituzione di governi locali, il diritto di famiglia, l'organizzazione delle elezioni, restavano di loro esclusiva competenza. Essi, inoltre, condividevano con il governo federale il diritto di imporre tasse, di emettere prestiti pubblici, organizzare propri sistemi giudiziari per i reati civili e penali di ambito statale (che rappresentavano la grande maggioranza), di effettuare investimenti per il «benessere pubblico», e di mantenere proprie forze armate, le milizie statali.

Un pilastro del nuovo sistema federale fu rappresentato dall'organizzazione in due camere del Congresso, e la conseguente rappresentanza degli stati nella camera alta. Come si ricorderà, il *Virginia Plan* prevedeva una rappresentanza degli stati proporzionale alla loro popolazione, che avrebbe favorito il ruolo degli stati più popolosi all'interno dell'Unione. Fu questo uno dei punti più rilevanti sui quali fu necessario raggiungere il compromesso con gli stati più piccoli. Accanto alla Camera dei rappresentanti, i cui membri, eletti ogni due anni, rappresentano la popolazione della federazione nel suo complesso, fu posto un senato, formato da due rappresentanti per ogni stato. Il testo costituzionale prevedeva l'elezione dei senatori da parte dei legislativi statali ogni sei anni, e il progressivo ricambio parziale della camera alta ogni due anni.

La rappresentanza paritaria degli stati nel senato rese possibile la firma del documento costituzionale anche da parte dei delegati degli stati meno popolosi. Ed assunse il significato di difesa delle prerogative statali. Come scrisse Hamilton: «il criterio di rappresentanza paritetica in seno al senato è [...] il risultato di un compromesso tra le contrastanti pretese dei grandi e dei piccoli stati [...] È difficile che gli stati minori accettino un governo che si basi sui principi più vicini ai desideri degli stati più grandi. [...] In questo spirito [Hamilton si riferisce alla necessità del compromesso come male minore] si dovrà notare come l'aver concesso voto paritetico a ciascuno stato rappresenti, ad un tempo, il riconoscimento costituzionale di quella sovranità di cui è ancora investito il singolo stato, e la garanzia e lo strumento per cui questa parte di sovranità potrà essere ulteriormente preservata».

Riker ha visto in questo particolare assetto bicamerale uno degli aspetti maggiormente centrifughi del federalismo americano. In altre parole, uno dei meccanismi istituzionali che più favoriscono la dispersione del potere di governo, grazie al peso che, almeno formalmente, attribuisce agli stati. Lo stesso Riker, ha, però, a questo proposito, parlato del fallimento della funzione di rappresentanza degli stati da parte del senato. Tale fallimento deriverebbe da due distinti processi. Da un lato, il progressivo indebolimento della dottrina e della prassi delle istruzioni di voto date dagli stati ai propri senatori. Dall'altra, la progressiva politicizzazione della scelta dei senatori da parte delle legislature statali. A partire dagli anni Trenta dell'Ottocento, infatti, la questione delle nomine senatoriali condiziona sempre più le campagne per i parlamenti statali: i cittadini votano sulla base delle promesse dei candidati di sostenere questo o quel politico per la carica di senatore; in seguito, a cavallo tra XIX e XX secolo, vengono introdotte le primarie statali per individuare i rispettivi candidati di partito alla carica di senatore. Questi processi conducono all'approvazione nel 1913, del XVII emendamento, che dispone che i due senatori siano eletti non più dal legislativo dello Stato, bensì mediante voto diretto popolare. Secondo Riker quest'evoluzione avrebbe indebolito la possibilità costituzionale dei governi statali di interferire, attraverso il senato, nella politica nazionale, a causa del più debole controllo sugli eletti.

Il completamento del disegno federale americano nel XIX secolo

Nei primi anni della Repubblica, la cosiddetta *era federalista*, contrassegnata dalle presidenze di George Washington (1789-1797) e John Adams (1797-1801), si definirono due posizioni contrapposte, quella hamiltoniana e quella jeffersoniana, rispetto all'equilibrio tra i poteri federali e statali. Hamilton, ministro del Tesoro con Washington, guardava con favore ad un governo federale forte, in grado di promuovere il benessere e la prosperità della nazione favorendo lo sviluppo economico; Thomas Jefferson, presidente degli Stati Uniti dopo Adams e fino al 1809, diffidente verso il governo centrale, era favorevole ad una interpretazione del testo costituzionale che ne limitasse il più possibile il ruolo. La prima occasione di scontro si ebbe nel 1798, quando i legislativi della Virginia e del Kentucky approvarono due risoluzioni, scritte da Jefferson e Madison, con le quali dichiararono incostituzionali gli *Alien and Sedition Acts* di quello stesso anno, rivolti contro l'opposizione jeffersoniana. La dichiarazione non ebbe seguito, ma si basò su argomentazioni che sarebbero state riprese dai difensori dei diritti degli stati (tra cui, a partire dagli anni Trenta, il «radicale» John Calhoun, sostenitore della indivisibilità della sovranità e della sua collocazione negli stati), fino alla guerra civile del 1861. La tesi era che la Costituzione era sorta da un «patto» tra stati, e come contraenti di tale patto essi mantenevano il diritto di interpretarla e farla rispettare.

La contrapposizione tra jeffersoniani e hamiltoniani (i primi avrebbero dato vita al Partito democratico-repubblicano, dal quale sorse il Partito democratico; i secondi al Partito Whig, dissoltosi a metà del secolo per lasciare spazio al Partito repubblicano) rifletteva anche una contrapposizione tra stati del Nord, del Sud e dell'Ovest. La contrapposizione principale era quella tra un Nord basato su un'agricoltura praticata da grandi aziende e *farmers* indipendenti che non ricorrevano al lavoro degli schiavi, e nel quale si concentrava l'80% delle attività manifatturiere, commerciali e finanziarie, e un Sud quasi unicamente agrario, con una agricoltura basata sulle piantagioni di cotone e il lavoro degli schiavi. Tale contrapposizione, fu ulteriormente complicata dall'espansione verso Ovest che tra il 1806 e il 1861 doveva portare alla creazione di ben 18 nuovi stati. Inizialmente vicino al Sud, con il quale condivideva gli interessi agrari, l'Ovest si avvicinò progressivamente al Nord, che ne divenne il punto di riferimento commerciale e finanziario principale. Materie del contendere tra il Sud e le sezioni del Nord e dell'Ovest furono principalmente la politica protezionista del governo federale, che favoriva le manifatture del Nord e danneggiava l'economia meridionale, e l'estensione della schiavitù ai nuovi stati dell'Ovest. Tutto il periodo antecedente la guerra civile fu costellato da crisi e compromessi sulle due questioni. La seconda, in particolare, aveva un rilievo cruciale in quanto decisiva per l'espansione o meno dei piantatori del Sud verso le terre occidentali; ma anche da un punto di vista della teoria costituzionale: era il governo federale a dover decidere dell'adozione o meno del regime schiavistico nei nuovi stati o piuttosto gli stati medesimi?

La questione si sarebbe risolta solo con la secessione, la nascita degli Stati confederati d'America nel 1861 e la loro sconfitta da parte dell'esercito degli Stati Uniti nell'aprile del 1865. L'esito della guerra civile rafforzò il carattere unitario del federalismo americano, e stabilì una volta per tutte la natura indissolubile dell'Unione, e l'inammissibilità di quel diritto di secessione che era stato invocato dagli stati confederati e da essi considerato implicito nella teoria del «patto costituente». Sul piano costituzionale, l'eredità della guerra civile si tradusse in tre rilevanti emendamenti alla Costituzione. Con il XIII emendamento (1865), fu sancita definitivamente l'abolizione della schiavitù; con il XIV emendamento fu attribuito lo status di cittadino a tutti gli individui nati o naturalizzati negli Stati Uniti, dunque anche ai neri, escludendo la possibilità per gli stati di limitarne i diritti ed estendendo anche ad essi il principio del debito processo (il diritto di non essere condannati senza processo); con il XV emendamento (1870) fu sancito che nessun cittadino, per motivi di «razza, colore, o precedente stato di servitù» potesse essere privato del voto.

Ora era l'Unione che si poneva come garante dei diritti e delle libertà dei cittadini, contro le politiche discriminatorie degli stati; anche se il concreto impegno del governo federale per l'applicazione di quegli emendamenti doveva essere rimandato al secolo successivo.

Federalismo duale, federalismo cooperativo e federalismo coercitivo

«Vi sono quattro stadi nell'evoluzione del federalismo americano: primo, un marcato *dualismo*, [...] (1790-1860); secondo, un federalismo centralizzatore (1860-1933); terzo, il federalismo cooperativo del *New Deal*, che si è esteso fino a tempi recenti; e, quarto, il federalismo *creativo* degli ultimi anni». Scrivendo alla fine degli anni Sessanta, Friedrich coglieva con quelle parole la mutevolezza negli equilibri dell'assetto federale americano, la cui evoluzione lo aveva condotto ormai lontano dal disegno duale tracciato dai Padri fondatori.

Nei decenni successivi alla guerra civile, fino alla presidenza Roosevelt (1933-1945), il rilevante sviluppo del governo federale non significò la sua sostituzione ai governi statali: l'espansione dei poteri pubblici nella società coinvolse entrambi i livelli, anche se quello federale con maggiore intensità. Questi sviluppi favorirono l'emergere di forme di interdipendenza e integrazione tra governo federale e governi degli stati, in particolare nell'ambito dell'amministrazione. Ma, affinché si possa parlare di un vero e proprio nuovo modello di relazioni, bisognerà attendere l'elezione, nel 1933, di Franklin Delano Roosevelt e l'avvio del *New Deal*, con il conseguente rafforzamento della presidenza e l'impressionante espansione dell'attività federale.

Le politiche del *New Deal*, caratterizzate dall'ingente aumento della spesa pubblica, dallo sforzo di regolazione e coordinamento dell'attività produttiva, da nuove politiche sociali e del lavoro, impongono un nuovo tipo di relazioni tra i livelli di governo: si afferma, così, la dottrina del federalismo cooperativo. Elaborata dallo scienziato politico Morton Grodzins, descrittiva dei nuovi equilibri, e al tempo stesso principio normativo del nuovo *dover essere* delle relazioni tra governi, essa parte dall'osservazione di come le agenzie dei diversi livelli di governo combinino e intreccino le loro funzioni in una misura tale che il sistema intergovernativo è divenuto sempre più simile ad un «blocco di marmo» (*marble-cake*), con le sue complesse venature, e si è sempre più allontanato dal modello della «torta a strati» (*layer cake*) del federalismo duale, con i diversi livelli separati e reciprocamente indipendenti.

Lo strumento principale del federalismo cooperativo o, come anche è stato denominato, *collaborativo*, è fin da allora rappresentato dai *grants-in-aid*. Finanziamenti federali a favore dei governi statali e/o locali al fine di favorire certi tipi d'intervento pubblico, e che richiedono, per il loro perseguimento, l'azione di tali governi. L'iniziativa parte dal livello federale: il Congresso istituisce un programma *grants-in-aid* (ad esempio per favorire la scolarizzazione di certe minoranze); la legge definisce le diverse condizioni alle quali il programma può essere attivato (procedure, destinatari, ecc.) e assegna ad un ufficio federale il compito di amministrare il programma, e ad un ufficio statale il compito di gestirlo a livello periferico. Il programma non è attivato automaticamente, ma su richiesta degli stati al governo federale. Durante il *New Deal* l'utilizzo di queste forme collaborative da parte del livello federale si espanse enormemente, e sarebbe proseguita anche nei decenni successivi al secondo conflitto mondiale: tra il 1941 e il 1960 furono attivati ben 102 nuovi programmi *grants-in-aid*.

La Corte suprema, rispetto a questi mutamenti, espresse inizialmente posizioni conservatrici, di ostacolo alle nuove politiche rooseveltiane, coerentemente, d'altro canto, con l'atteggiamento pregiudizialmente favorevole agli stati dei decenni precedenti. Tra il 1934 e il 1937 la Corte dichiarò incostituzionali ben dodici provvedimenti federali. Per superare l'ostacolo Roosevelt fece presentare un progetto di legge che gli avrebbe permesso di immettere nella Corte nuovi giudici, favorevoli al nuovo corso. La proposta fece molto scalpore poiché, pur non essendo incostituzionale, minava l'indipendenza della Corte. Questa convinse il presidente a rinunciare al suo progetto, ma, a partire dal 1938, mutò il proprio atteggiamento, avallando di fatto la politica presidenziale.

Un ambito nel quale nel XX secolo il governo federale ha ampliato in modo netto le proprie competenze è quello dei diritti civili. È, in particolare, in relazione alla questione razziale e negli anni Cinquanta, che il governo federale vince una battaglia decisiva nei confronti delle pretese statali. Con la sentenza del 1954 *Brown contro Topeka*, la Corte suprema dichiara incostituzionale il principio «separati ma eguali» sancito nel secolo precedente e sul quale si era basata la segregazione dei neri. La sentenza riguardava la segregazione scolastica, ma in seguito ad essa fu sferrato un vero e proprio attacco alle discriminazioni nei locali pubblici, nei trasporti, nei servizi, nell'edilizia e così via. Il governo federale giungeva, così, ad arrogarsi il diritto di regolamentare i rapporti razziali all'interno degli stati.

Le tendenze proprie del federalismo cooperativo proseguirono per tutti gli anni Sessanta, anche nella fase del cosiddetto *federalismo creativo*, così definito dal suo stesso ideatore, il presidente Lindon B. Johnson (1963-1969). Una fase contrassegnata dall'intensificazione del rapporto diretto tra governo federale e governi locali (anche se i finanziamenti alle unità substatali, pur aumentando rimasero nettamente minoritari – il 12% nel 1968) e dall'aumento della regolamentazione dei finanziamenti agli stati.

Il fenomeno dei finanziamenti federali assunse tali dimensioni che durante la presidenza repubblicana di Nixon (critica nei confronti del modello di *welfare state* fino ad allora perseguito), si intervenne per contenerlo e, al tempo stesso, per fronteggiare le diffuse perplessità sulla sempre crescente influenza federale sui processi decisionali statali e locali. Nixon fece ricorso a un tipo di finanziamento federale alternativo rispetto ai *categorical grants* (i finanziamenti federali mirati e minuziosamente regolamentati): i *block grants*, finanziamenti concessi in modo relativamente automatico e per programmi definiti in modo abbastanza generico, in modo da lasciare più autonomia agli stati. Il *New Federalism* di Nixon per rilanciare l'autonomia statale e locale varò anche un nuovo programma di aiuti federali: il *General revenue sharing*. Vale a dire, l'assegnazione di quote delle entrate fiscali ai governi subnazionali, senza condizioni per le forme di utilizzo. Se, da un lato, le politiche di ridimensionamento del *welfare state* operate da Nixon non riuscirono a provocare alcuna radicale inversione di tendenza, dall'altro, i suoi sforzi di attribuire maggiore autonomia ai governi statali e locali rispetto ai finanziamenti federali furono in buona parte frustrati dall'attivismo congressuale a favore dei tradizionali *categorical grants*, sempre più minuziosamente regolamentati, che rimasero la forma di intervento più diffusa.

I sempre maggiori vincoli ai quali, in particolare a partire dagli anni Settanta, sono stati assoggettati i governi statali, hanno portato ad individuare – come ha notato Brunetta Baldi – un modo diverso di porsi del federalismo, il *federalismo coercitivo*. Accanto all'appesantimento delle regolazioni dei *grants-in-aid*, esso è caratterizzato dal ricorso ad atti di *preemption* e dal varo di programmi federali impositivi (*mandates*). I primi, emanati dal Congresso, annullano, in modo totale o parziale, le regolazioni statali e locali relative a certe aree o funzioni di governo, sostituendole in modo autoritativo con la regolazione federale. I secondi (atti del Congresso, decisioni delle Corti federali e regolamentazioni amministrative) prescrivono procedure e modalità d'azione per i governi statali e locali, e prevedono sanzioni nei casi di mancata attuazione.

I consistenti tagli ai programmi federali operati dal presidente Reagan all'interno di una più ampia politica di ridimensionamento dello stato sociale, anche a causa dell'efficace resistenza del Congresso dominato dai Democratici, non ha ridotto il numero dei programmi e l'ampiezza dei finanziamenti federali (aumentati entrambi in modo consistente tra il 1982 e il 1989), nonché l'attività di *preemption* del Congresso. Tendenze, queste, proseguite anche durante l'amministrazione di George Bush.

L'affermazione di una dimensione *coercitiva* del federalismo americano, non ha, però, soppiantato quella *cooperativa*. Le pratiche relative paiono, piuttosto, interconnesse. Data, infatti, la complessità del settore pubblico, la collaborazione tra livelli di governo appare ancora necessaria ai fini della realizzazione delle politiche pubbliche. Il bisogno di cooperazione pone, dunque, un limite alla piena affermazione del federalismo coercitivo. Al tempo stesso, se l'autorità del governo federale si è costantemente estesa negli ultimi decenni, il ruolo degli stati e dei governi locali è tutt'altro che trascurabile: come ha osservato Peterson in un noto studio sul federalismo americano, quasi metà delle spese per obiettivi di politica interna provengono dalle imposte di competenza dei governi subnazionali.

Il rafforzamento del governo federale, a scapito di quelli statali, non ha mancato, in tempi recenti, di suscitare critiche e reazioni, in particolare dopo i risultati del *New Federalism* di Nixon e Reagan, considerati dai sostenitori di un governo federale *leggero*, ambigui e insoddisfacenti. A questo proposito, scritti recenti hanno registrato una significativa inversione di tendenza che potrebbe avere ripercussioni significative sull'evoluzione degli equilibri federali: quella della Corte suprema. Negli anni Novanta, con una serie di sentenze, la Corte ha, infatti, mostrato di voler proteggere gli stati da interferenze considerate ora illegittime. Queste sentenze sono scaturite da un'interpretazione più restrittiva della *commerce clause* e degli *implied powers*, la cui più che discrezionale lettura aveva fino all'inizio degli anni Novanta consentito l'affermazione del ruolo federale.

La clausola costituzionale che autorizza le camere federali «a regolare il commercio con le altre nazioni e fra i diversi stati», fu a lungo interpretata, infatti, in modo tale da consentire al governo federale di legiferare su qualsiasi materia la cui regolamentazione potesse influire, anche indirettamente, sul commercio; ciò ha portato all'ampio sviluppo della legislazione federale nel campo sociale ed economico, delle comunicazioni stradali, ferroviarie, aeree, ecc. Tale ampio sviluppo è stato favorito anche dalla interpretazione estensiva dei «poteri impliciti», la facoltà, cioè, «di fare tutte le leggi necessarie e idonee per l'esercizio dei poteri» attribuiti dalla Costituzione al governo degli Stati Uniti.

Il diverso orientamento del supremo organo giudiziario, è stato reso possibile da un cambiamento negli equilibri della Corte stessa in seguito alle nomine effettuate da Ronald Reagan e George Bush. Equilibri che trovano oggi il favore dell'attuale presidente degli Stati Uniti, George W. Bush.

4. Un federalismo scarsamente integrato: il Canada

Dal Trattato di Parigi al «British North America Act»

La nascita del sistema federale canadese risale all'approvazione, nel 1867, del *British North America Act* da parte del Parlamento inglese. Tale atto dava vita ad una federazione tra quattro province (l'Ontario, il Quebec, il New Brunswick e la Nuova Scozia) che occupavano la striscia sudorientale, a nord dei grandi laghi, e orientale, sull'oceano Atlantico, dell'immenso territorio nordamericano sotto il dominio britannico.

Parti di esso erano state, a partire dal XVII secolo, oggetto della colonizzazione sia inglese, sia francese. Il lungo conflitto tra Francia e Inghilterra per il dominio di quelle terre, si prolungò fino al 1763, quando, con il Trattato di Parigi, fu sancito il passaggio all'Inghilterra delle zone ancora sotto l'influenza francese.

Nel 1791 la ex colonia francese (Nouvelle France), che aveva preso il nome di Canada, fu divisa da un atto del Parlamento inglese, in due province, l'Upper Canada (l'attuale Ontario), prevalentemente abitato da coloni inglesi, e il Lower Canada (l'attuale Quebec), prevalentemente abitato da coloni francesi. Furono, così, poste le premesse per una divisione territoriale dei due gruppi nazionali, anche se la popolazione francese continuava, pur nettamente minoritaria, ad essere presente nella provincia dell'Ontario e nelle colonie della costa atlantica: il New Brunswick, la Nuova Scozia e l'Isola del principe Edoardo. Ad ognuna delle due nuove province fu attribuito un parlamento e in entrambe fu mantenuto il diritto privato francese (abolito nel 1763 dal parlamento britannico e ripristinato nel 1774), la cui vigenza, però, fu condizionata alla volontà dei rispettivi parlamenti; nel 1792 quello dell'Upper Canada decise di adottare anche per l'ambito privato la *common law* inglese.

Le tensioni tra le due comunità nazionali non furono, però, risolte, in particolare nel Lower Canada, ove gli interessi degli agricoltori francesi si trovavano sovente in conflitto con quelli dei ceti mercantili inglesi. In entrambe le province, inoltre, particolarmente forte era la contrapposizione tra il governatore e il suo consiglio, di nomina regia, e l'assemblea elettiva. Queste tensioni sfociarono in ribellioni armate tra il 1837 e il 1838. In seguito a questi tentativi di rivolta, fu inviato in Canada John George Lambton, conte di Durham, con il compito di redigere un rapporto e proporre una soluzione alla crisi. Due furono le proposte di Lord Durham: la creazione nelle colonie di sistemi parlamentari, con governi responsabili di fronte alle assemblee elettive, e l'unificazione del Basso e Alto Canada.

La prima proposta fu accolta dal Regno Unito soltanto nel 1848, quando fu consentito alla Nuova Scozia di introdurre quelle convenzioni costituzionali necessarie al passaggio alla forma del governo responsabile; dopo le elezioni di quell'anno, infatti, il governatore della colonia, rappresentante della corona, nominò primo ministro il leader del partito di maggioranza. La forma parlamentare di governo fu estesa nel giro di pochi anni alle altre colonie.

La proposta di unificazione fu, invece, la prima ad essere attuata, con l'*Act of Union* del 1841. Essa fu concepita con lo scopo di assimilare la componente francofona che, a parere di Lord Durham, così come di tutti gli amministratori coloniali che l'avevano preceduto, avrebbe impedito, per la sua potenzialità di ribellione, la realizzazione di una pacifica e operosa comunità anglofona e protestante. In realtà, fu subito evidente come le differenze tra le due regioni fossero irriducibili, anche a causa dell'ostinata volontà dei francofoni di non farsi assimilare. Invece che realizzare l'assimilazione, la nuova sistemazione favorì, piuttosto, lo sviluppo di pratiche consociative, di un governo della provincia mediante negoziazioni tra élite di comunità che continuavano ad essere separate. Lo stesso Atto del 1841 aveva favorito il riconoscimento di una distinzione tra le due comunità del Basso e Alto Canada, attribuendo ad entrambe un eguale numero di deputati nell'unica assemblea elettiva, e mantenendo nelle due regioni i due distinti sistemi giuridici (*common law* e *civil law*). Accanto a ciò, la consapevolezza del governatore della nuova provincia, barone Sydenham, della profonda diversità tra le due comunità, lo portò a inaugurare la pratica di nominare due primi ministri, con il conseguente raddoppio delle nomine di tutti gli alti funzionari. L'immobilismo creato da questo sistema consociativo fu tra le cause principali della creazione di un nuovo e più ampio assetto costituzionale nel 1867.

La federazione tra le colonie inglesi del Nord America, o almeno tra alcune di esse, costituì il tentativo di portare a soluzione diversi problemi che avevano ormai acquisito, verso il 1860-1870, un carattere urgente. Tra questi, l'incapacità dei governi a due teste del Canada di realizzare una guida unitaria della provincia. Le province marittime, dal canto loro, si trovavano a dover affrontare il problema di uno sviluppo economico non più tutelato dal protezionismo del governo imperiale britannico (che si andava sempre più disimpegnando rispetto alle colonie canadesi) e che richiedeva maggiori collegamenti con l'entroterra. Non mancavano, inoltre, le mire espansionistiche degli Stati Uniti sulle terre dell'Ovest, ancora scarsamente popolate. Più in generale, gli Stati Uniti, erano percepiti come una reale minaccia all'indipendenza delle colonie, sia a causa della passata invasione durante la guerra anglo-americana del 1812-14, e delle minacce d'invasione degli anni 1837-38, sia per il sostegno che le colonie inglesi dei territori canadesi avevano dato ai confederati durante la guerra civile americana, che si temeva avrebbe portato a ritorsioni da parte statunitense.

La federazione fu dunque concepita come lo strumento per difendersi dagli Stati Uniti e, al tempo stesso, per creare un mercato interno per i prodotti delle colonie, tanto più necessario dopo l'abrogazione da parte degli Stati Uniti del trattato di scambi commerciali del 1854.

Al *patto federale* si giunse in tre anni, a partire dalle riunioni di Charlottetown e di Quebec del 1864, tra i delegati delle province marittime e della provincia del Canada e i rappresentanti del governo britannico, interessato ad un progressivo disimpegno, anche militare, da quelle colonie. Un assetto federale con un forte governo centrale fu l'esito del compromesso tra le preferenze del governo britannico e dei rappresentanti dell'Upper Canada, che guardavano con favore ad una struttura basata su un forte potere centrale e molti governi municipali (modello inglese), e quelle dei rappresentanti del Lower Canada e delle province marittime, favorevoli al mantenimento di un'ampia autonomia per le province e timorosi di un Alto Canada troppo forte. I coloni di quella che sarebbe divenuta la provincia del Quebec, in maggioranza francofoni, vedevano nella tutela dei poteri provinciali soprattutto lo strumento per la difesa della loro specificità culturale.

Nei mesi successivi, l'accordo fu ratificato dalle assemblee delle province del Canada, New Brunswick e Nuova Scozia, che costituirono le prime province della federazione canadese. L'8 marzo 1867 esso ricevette l'approvazione dal parlamento britannico come *British North America Act*, e il 29 marzo dello stesso anno l'assenso finale della corona.

Byton, un piccolo centro al confine tra l'Ontario e il Quebec, fu scelto dalla regina Vittoria come capitale federale, e assunse il nome di Ottawa.

Parlamentarismo e federalismo

Con il Bna del 1867 (una legge imperiale, vale a dire una legge del parlamento inglese espressamente emanata per le colonie), le province del Canada, in quell'occasione nuovamente diviso in due province, Ontario e Quebec, del New Brunswick e della Nuova Scozia, furono riunite in un unico *Dominion*. Ad esse, nei decenni successivi, si sarebbero aggiunte altre cinque province e due territori: la provincia del Manitoba nel 1870, creata sulle terre della Compagnia della Baia di Hudson, da essa cedute al *Dominion* nel 1869; la provincia della British Columbia nel 1871, che riuniva le precedenti colonie dell'estremo occidente; la Prince Edward Island nel 1873, unica provincia marittima a non entrare nella federazione sin dal 1867; le province di Alberta e Saskatchewan nel 1905, anch'esse create sui territori a occidente dell'Ontario; Terranova nel 1949; i territori nordoccidentali e i territori dello Yukon, rispettivamente nel 1870 e nel 1898.

La nuova comunità, però, ancora non poteva essere definita uno stato indipendente; il *Dominion* del Canada, infatti, rimaneva territorio di Sua Maestà britannica, sottoposto alla volontà del parlamento di Westminster, che poteva modificarne i confini, legiferare sulla sua struttura politica e regolarne la vita civile, e del governo britannico, che ne conduceva la politica estera. La totale indipendenza del Canada sarebbe giunta solo dopo un lungo processo conclusosi nel 1982.

L'Atto del 1867, accanto ad un governatore generale, rappresentante della corona, prevedeva un parlamento bicamerale, strutturato in una camera bassa, la Camera dei comuni, e in una camera alta, il Senato. Sulla base di convenzioni costituzionali, la forma di governo assunta dal *Dominion* del Canada fu quella, già precedentemente introdotta nelle singole colonie, parlamentare, sul modello britannico; secondo tali convenzioni, il governatore generale doveva nominare primo ministro il capo del partito vincitore alle elezioni.

Se la Gran Bretagna fornì un modello per la forma di governo, altrettanto non può dirsi per l'organizzazione territoriale, per la quale si seguì, piuttosto, l'esempio del vicino statunitense, con l'adozione di un modello federale. Come nel caso degli Stati Uniti, il Bna introdusse un tipo di federalismo duale, con province e federazione che gestiscono autonomamente le materie di propria competenza. A differenza degli Stati Uniti, però, fu al parlamento federale, e non a quelli delle province, che furono attribuiti i poteri residui; una scelta che, nelle intenzioni, denuncia la volontà di favorire il livello centrale. Al parlamento federale fu attribuito il potere «di fare leggi per la pace, l'ordine e il buon governo del Canada» in relazione a tutte le materie non rientranti esplicitamente negli ambiti assegnati ai parlamenti provinciali. Per maggiore certezza, e «non allo scopo di restringere la generalità» delle competenze federali, furono inoltre elencate materie d'esclusiva competenza del Parlamento del Canada. Tra queste, l'imposizione fiscale mediante modalità diretta e indiretta, la regolazione del commercio, la moneta, la difesa, l'esercito e la milizia, la creazione di una banca centrale, il diritto penale. Tra le competenze direttamente attribuite alle province, l'imposizione diretta sul reddito (nel XIX secolo fonte secondaria per la raccolta di risorse rispetto alle imposte indirette sui consumi), la costituzione e il mantenimento di un organico di funzionari ed impiegati provinciali, l'istituzione e il mantenimento di ospedali ed enti di assistenza e beneficenza, l'amministrazione della giustizia, l'educazione, l'agricoltura, l'immigrazione.

L'Atto del 1867 attribuiva al governo centrale anche il controllo sulla legislazione provinciale, con gli istituti della *reservation* e *disallowance*, che consentivano di invalidare gli atti dei parlamenti delle province. Essi sono stati utilizzati ampiamente fino alla fine del XIX secolo, per poi diventare desueti.

Un altro elemento che allontana il federalismo canadese da quello statunitense, è la modalità di formazione del senato. I senatori, all'epoca del Bna così come oggi, sono di nomina governativa. L'Atto del 1867 prevedeva la nomina di ventiquattro senatori per ogni *divisione* del Canada: Ontario, Quebec e province marittime (12 per il New Brunswick e 12 per la Nuova Scozia). Successivamente la rappresentanza è stata estesa alla nuove province: dei ventiquattro senatori delle province marittime, due sono stati attribuiti alla provincia dell'Isola del Principe Edoardo; ventiquattro senatori sono stati attribuiti alle province occidentali, sei per ciascuna; sei senatori a Terranova e un senatore ad ognuno dei due territori.

Il fatto che i senatori siano nominati dall'esecutivo, ha privato questa camera non solo della legittimazione popolare, ma anche del carattere di camera federale, cioè di camera di rappresentanza delle istanze provinciali e, dunque, di organo di partecipazione delle province alla politica nazionale. Inoltre, la distribuzione dei senatori per *divisioni*, cioè regioni, e non province, inficia il principio di eguaglianza nella rappresentanza delle province, proprio della maggior parte dei sistemi federali. Questa debole legittimazione ha fatto sì che il senato canadese, nonostante abbia avuto fino al 1982 quasi eguali poteri rispetto alla camera bassa, eletta dal popolo, non abbia quasi mai fatto ricorso a tali poteri per opporsi alla volontà della camera, anche a causa del timore di dare forza alle sempre presenti richieste di riforma o, addirittura, abolizione della camera alta.

Particolare è anche il ruolo del giudiziario nella tutela

della Costituzione (vale a dire l'*Act* del 1867 e i successivi emendamenti). La Corte suprema canadese non è prevista da alcun documento di rango costituzionale, ma è stata istituita per legge nel 1875. Fino al 1949, però, è stato il Judicial Committe del Privy Council britannico a fungere da corte di ultima istanza per il Canada per le questioni concernenti l'interpretazione della Costituzione, e a svolgere, dunque, un ruolo rilevante nella definizione dei rapporti tra livelli di governo. Inoltre, fino al 1982, quando si consuma il definitivo distacco dalla madrepatria, il potere di emendare la Costituzione è rimasto nelle mani del Parlamento inglese, anche se questi vi ha provveduto solo su richiesta delle autorità canadesi.

Da un federalismo centralizzato ad un federalismo decentrato

Il federalismo canadese nasce fortemente centralizzato, come si evince da disposizioni quali l'attribuzione dei poteri residui al governo centrale, la possibilità di questo di intervenire sulla legislazione provinciale con gli strumenti di *reservation* e *disallowance*, la nomina dei senatori da parte dell'esecutivo, così come di tutte le cariche giudiziarie importanti delle province.

Ben presto, però, il concreto funzionamento del sistema federale canadese si è allontanato dalla lettera della Costituzione. La fase ove più forti furono le spinte centralizzatrici, fu quella del lungo governo conservatore del primo premier canadese, Sir John A. Macdonald. Il suo governo fece frequente ricorso al potere di invalidare la legislazione delle province, così come fece uso dei suoi poteri in materia commerciale e finanziaria, per controllare le province attraverso provvedimenti regolativi e finanziamenti nel campo dell'agricoltura e dei trasporti. Questa fase ha fine nel 1896, con l'elezione di un governo liberale, guidato dal premier francofono, Wilfred Laurier. Da allora si assiste ad un progressivo rafforzamento del ruolo delle province. Tra le cause principali il nazionalismo francofono, che sempre più trova una difesa nelle istituzioni quebecchesi, e le tensioni, di natura prevalentemente economica, tra le province marittime e le province occidentali, da un lato, e la capitale Ottawa.

Al processo di decentramento dei poteri del sistema federale canadese non è estranea la giurisprudenza del Privy Council britannico che funse da corte d'ultima istanza per il Canada fino al 1949. Esso ha costantemente interpretato in maniera restrittiva i poteri del governo centrale, in particolare la clausola dei poteri residui e la competenza in materia di commercio, e in maniera estensiva le competenze delle province; come conseguenza di ciò, come ha osservato William Riker, «molte funzioni ordinariamente svolte, negli Stati Uniti, dal governo centrale, sono svolte, in Canada, dalle province».

Un altro fattore che ha favorito il decentramento è la natura del sistema dei partiti. In Canada, a differenza degli Stati Uniti, il sistema partitico è *scarsamente integrato*, incapace, cioè, di svolgere con efficacia una funzione di raccordo tra i diversi livelli di governo, così come accade in Germania o negli Stati Uniti. Ciò a causa della presenza di importanti partiti regionali o puramente provinciali che rendono i sistemi partitici delle province (in particolare quelli del Quebec e delle province dell'Ovest) diversi dal sistema nazionale, dominato dai Partiti liberale e conservatore. Gli stessi membri dei partiti nazionali (e in particolare del Partito liberale) che operano nelle istituzioni provinciali, si pongono con i leader del proprio partito che ricoprono incarichi a livello federale, in un rapporto di negoziazione, più che di collaborazione. Questo fenomeno è strettamente correlato ad una scarsa mobilità delle carriere politiche dal livello provinciale a quello nazionale: mentre circa metà dei presidenti americani prima di accedere a quella carica erano stati governatori di uno stato, nessun primo ministro canadese ha mai avuto l'incarico di capo di un governo provinciale.

Una ripresa delle spinte a favore del governo federale, vi fu negli anni Trenta, gli anni della Grande depressione, e continuò durante il secondo conflitto mondiale, fino a tutti gli anni Cinquanta. L'adozione da parte del governo federale di programmi d'intervento economico-sociale a livello provinciale mediante finanziamenti condizionati (*conditional grants*) permise nuovamente al centro di intervenire in materie riservate costituzionalmente alle province, e di condizionarne la politica economica.

Questa tendenza alla centralizzazione, pur contenuta all'interno dei limiti consentiti dalla giurisprudenza, ha subìto una battuta d'arresto già a partire dagli anni Sessanta, in conseguenza della ripresa del nazionalismo francofono e delle rivendicazioni delle province marittime e di quelle dell'Ovest. Prima di concentrare la nostra attenzione su questi problemi, alcuni cenni sono necessari, per meglio cogliere il funzionamento dell'assetto federale canadese, alle forme di collaborazione tra province e tra queste e il governo federale.

Federalismo esecutivo e federalismo cooperativo

L'impossibilità di utilizzare un senato privo di legittimazione democratica e scarsamente rappresentativo delle realtà provinciali, al fine di realizzare una partecipazione delle province alla politica nazionale, ha portato all'affermazione della convenzione costituzionale secondo la quale il Gabinetto federale viene formato tenendo conto della provenienza provinciale dei ministri, oltre che della loro appartenenza linguistica e religiosa. In questo modo l'esecutivo, pur rimanendo un esecutivo monopartitico, diviene un luogo per negoziazioni di tipo consociativo tra ministri rappresentanti d'interessi diversi. La loro appartenenza e lealtà verso il governo, però, li rende scarsamente credibili come genuini rappresentanti delle rispettive province o gruppi, specialmente se provengono non dalla Camera dei comuni, bensì dal senato, e sono quindi privi di legittimazione popolare.

Il coinvolgimento delle province nelle decisioni di rilevanza nazionale, trova una più concreta realizzazione nel *federalismo esecutivo*. Vale a dire nelle Conferenze dei capi di governo federale e provinciali, nonché dei ministri (sempre dei due livelli) responsabili di specifici settori. La prima Conferenza dei primi ministri fu convocata nel 1906 dal capo di governo liberale Laurier, e da allora questi incontri si sono tenuti con regolarità, divenendo la più importante istituzione di negoziazione intergovernativa del sistema canadese. Queste negoziazioni hanno costituito lo strumento privilegiato per proporre riforme costituzionali.

È grazie alle Conferenze dei ministri, che si è potuta sviluppare anche in Canada una forma di federalismo cooperativo, che ha consentito di sviluppare programmi sociali a livello nazionale, di ridistribuire la ricchezza tra le province e di adattare il sistema federale ai mutamenti socio-economici senza ricorrere a cambiamenti costituzionali. A tal scopo sono stati utilizzati prevalentemente strumenti fiscali e finanziari, e le province hanno spesso trattato con il governo federale la rinuncia ad una parte del potere di imporre imposte dirette con la concessione di sussidi federali. Molto vincolanti al loro inizio (anni Quaranta), questi accordi negli anni Cinquanta e Sessanta sono divenuti più favorevoli alle province, garantendo loro una maggiore autonomia.

Il nazionalismo quebecchese e l'alienazione delle province marittime e occidentali

La forza del nazionalismo francofono è strettamente legata alla paura dell'assimilazione percepita dagli abitanti del Canada di lingua francese sin dal XIX secolo. Già con l'Atto di unione del 1841 era stata tentata l'assimilazione della comunità di lingua francese. Con l'Atto del 1867 fu garantito l'uso delle due lingue nei parlamenti del Canada e del Quebec, e in tutti i rapporti dei cittadini con le corti canadesi, e garantita la tutela delle scuole private cattoliche, in gran parte di lingua francese, in ogni provincia. Queste pur limitate garanzie non furono sufficienti a imporre il bilinguismo nel paese a causa del comportamento delle province a maggioranza anglofona (tutte eccetto il Quebec) che progressivamente erosero i diritti culturali dei discendenti dei coloni francesi. L'impossibilità di tutelare i diritti dei francofoni al di fuori del Quebec, e dunque di creare una società bilingue, ha confinato la cultura e la lingua francesi a questa regione, e ha fatto delle sue istituzioni lo strumento privilegiato della difesa dell'identità francese in Canada.

Fino agli anni Sessanta del XX secolo, però, il conflitto fu gestito con relativo successo, grazie a pratiche consociative tra le élite francofone e anglofone all'interno del gabinetto federale, e alla concessione alle province di ampi poteri in campo sociale, culturale e educativo; dal canto loro, i governi del Quebec permisero alla minoranza di lingua inglese, particolarmente forte nel mondo dell'economia, di gestire con autonomia e nella propria lingua i propri affari. La situazione cambiò a partire dai primi anni Sessanta, con la vittoria, in Quebec, dei liberali guidati da Jean Lesage. Essa aprì una fase, che ricopre due decenni, denominata «rivoluzione tranquilla», alla quale corrispose un processo di modernizzazione delle strutture educative e sociali (in particolare sanitarie) attraverso un più incisivo intervento pubblico. Per quanto riguarda la natura del nazionalismo, esso perse quel carattere conservatore, legato alla tradizione (in particolare cattolica) e ostile alla secolarizzazione e allo stato sociale, per trasformarsi in un movimento più moderno, volto a realizzare essenzialmente tre obiettivi: ottenere per la maggioranza francese in Quebec i posti di comando dell'economia e della società fino allora detenuti dalla minoranza inglese; frenare l'accentramento federale e ottenere più ampi poteri come provincia; sviluppare, a livello internazionale, legami privilegiati con la Francia e altri paesi di lingua francese. Fu in quegli anni (1968) che nacque il più importante partito nazionalista, il Parti Québecois (Pq) di René Lévesque. Suo era il programma detto di «sovranità-associazione»: l'indipendenza politica del Quebec combinata con stretti legami di tipo economico con il resto del Canada. Nel 1976 il Pq vinse le elezioni in Quebec. Una volta al governo Levesque fece approvare (agosto 1977) la famosa *Loi 101*, poi in parte rigettata dalla Corte suprema canadese, con la quale s'intendeva fare del Quebec una provincia interamente francofona. Nel 1980 sottopose a referendum la sua proposta di *sovranità-associazione*, che fu però rifiutata dai cittadini quebecchesi con il 60% dei voti contrari. Questa ulteriore provocazione convinse l'allora capo del governo liberale, Pierre Trudeau, già tra i protagonisti della *révolution tranquille*, di accelerare i tempi di una riforma costituzionale ormai da più parti ritenuta necessaria.

Oltre al conflitto tra le due identità nazionali, in Canada ha progressivamente assunto rilevanza un conflitto che potremmo definire tra centro e periferia, vale a dire tra le province del Quebec e dell'Ontario (in particolare quest'ultima, sede della capitale federale Ottawa), le più popolose del paese, e le province atlantiche e occidentali. Queste, hanno tradizionalmente percepito il loro ruolo rispetto al centro federale in termini di subordinazione economica; di territori destinati a produrre materie prime, prodotti agricoli e della pesca per un centro che ha sempre favorito l'industrializzazione prevalentemente nelle province dell'Ontario e del Quebec. La scoperta di petrolio e gas naturale nelle province occidentali alla fine degli anni Quaranta ha acuito i conflitti tra le province produttrici e il governo federale relativamente alla distribuzione di questa nuova fonte di ricchezza: le prime hanno sempre più visto la loro partecipazione alla federazione come una forma di finanziamento, attraverso l'imposizione fiscale, del governo centrale e delle province più povere. Non bisogna dimenticare, inoltre, che le concessioni periodicamente fatte da Ottawa al Quebec per rispondere alle spinte nazionaliste, hanno accresciuto l'ostilità delle periferie, sia verso le pretese quebecchesi (miranti ad ottenere uno statuto speciale), sia verso Ottawa. Questa situazione ha portato le province dell'Ovest a premere per riforme costituzionali che dessero loro un maggiore ruolo nella politica federale, come, ad esempio, la riforma del senato al fine di trasformarlo in una vera e propria camera federale. Più povere, le province atlantiche hanno tradizionalmente premuto per ottenere sussidi dal governo centrale.

Riforme e tentate riforme

Per il capo del governo Trudeau, il referendum del 1980 costituì l'occasione per realizzare un rinnovamento della Costituzione, che risolvesse i conflitti tra il centro e le periferie, ed in particolare la questione francofona. Sin dagli anni Sessanta, egli aveva espresso opposizione alle richieste del Quebec di uno status speciale, che avrebbe indebolito le prerogative del governo federale, e aveva invece sostenuto la necessità di fare del Canada un paese effettivamente bilingue. In quella direzione andava la legge approvata durante il suo primo governo (l'*Official Languages Act* del

1969), con la quale l'inglese e il francese erano consacrati come lingue ufficiali del parlamento e del governo, ed era prevista l'istituzione di distretti bilingui in aree dove almeno il 10% della popolazione facesse uso di una delle due lingue ufficiali. La legge incontrò l'ostilità dei nazionalisti francofoni, che vedevano in essa un ostacolo alla francesizzazione del Quebec, e non fu applicata dalle province anglofone.

Convinto della necessità di introdurre cambiamenti costituzionali che consentissero una soluzione delle tradizionali opposizioni, Trudeau nel 1980 propose alla camera, senza il sostegno delle province – con le quali i negoziati si erano rivelati inconcludenti – un disegno di legge per il *rimpatrio* della Costituzione, vale a dire per l'attribuzione al parlamento canadese del potere di emendarla (un potere formalmente ancora nelle mani del parlamento britannico); accanto a ciò, il disegno prevedeva anche una procedura formale di emendamento e una *Carta dei diritti e delle libertà*. L'azione unilaterale di Trudeau provocò un lungo contenzioso con le province, che tra ricorsi alla Corte e negoziati, produsse infine un compromesso tra il governo federale e nove province; rimaneva estraneo all'accordo il Quebec. Il testo fu approvato nel dicembre 1981 dalla camera e dal senato e nella primavera successiva, per l'ultima volta il parlamento britannico approvò con una legge imperiale un atto riguardante il Canada.

Con il *Canada Act* del 1982 giunse a conclusione il pluridecennale processo di distacco dalla Gran Bretagna. Il potere di emendamento della Costituzione passava, così, nelle mani delle sole istituzioni canadesi. Se, prima del 1982, la prassi dell'unanimità dei consensi dei governi provinciali per proporre modifiche costituzionali al parlamento britannico, aveva spesso portato i processi decisionali a dei punti morti, anche le disposizioni dell'Atto del 1982 hanno continuato a porre ostacoli notevoli al raggiungimento di accordi. Le due forme più rilevanti d'emendamento costituzionale prevedono, infatti, o l'approvazione della camera e del senato federali più l'approvazione delle assemblee legislative di almeno due terzi delle province che abbiano almeno il 50% della popolazione totale (formula 7/50); o l'approvazione di camera e senato, più l'approvazione delle assemblee legislative di tutte le province, in alcune materie, tra cui l'uso delle lingue inglese e francese e il numero di senatori e deputati spettanti ad ogni provincia.

L'Atto del 1982 stabilisce anche che emendamenti concernenti le competenze dei parlamenti o degli esecutivi regionali non producano effetti nei riguardi di quella provincia la cui assemblea abbia espresso il proprio dissenso prima della sua proclamazione. Al tempo stesso, le province che in questo modo non danno applicazione ad un emendamento che trasferisce al governo federale competenze in materie educative e culturali, riceveranno dal governo centrale un equo indennizzo per svolgere direttamente quelle competenze che in altre province verranno svolte dal – e a spese del – governo federale. Questa facoltà delle province (*opting-out*) è stata pensata per tutelare la loro autonomia in materie delicate come quelle culturali, ed in particolare la specificità del Quebec, che ha effettivamente fatto frequente ricorso ad essa. Con il *Canada Act* è stata introdotta anche una Carta dei diritti (*Charter of Rights*) che, come l'Atto del 1867, ha assunto il valore di legge suprema.

Il Quebec, però, è rimasto estraneo al processo che ha condotto all'approvazione del *Canada Act*. Ciò, principalmente a causa del fatto che esso non conteneva quei trasferimenti di competenze richiesti da oltre mezzo secolo (in materia di servizi sociali, immigrazione, comunicazioni, politica familiare), e riconosceva il diritto all'insegnamento nella lingua della minoranza, disposizione in contrasto con la *Loi* 101 del 1977.

La questione dei rapporti con il Quebec fu nuovamente affrontata a partire dal 1985, dopo la vittoria del Partito liberale di Bourassa nella provincia francofona. Tra questi e il premier canadese conservatore Mulroney vi furono una serie di consultazioni che portarono ad un accordo, poi esteso alle altre province e firmato da Mulroney e dai capi di governo provinciali il 3 giugno 1987 (il *Meech Lake Accord*). Esso prevedeva maggiori competenze e autonomia per le autorità provinciali, e una limitazione del potere del governo federale d'intervenire finanziariamente negli ambiti riservati alle province. Oltre a ciò (e per questo vi fu l'accordo del Quebec), esso sanciva anche un non ben precisato carattere di *società distinta* per il Quebec, e il diritto di veto di questo ad emendamenti costituzionali contrari ai suoi interessi. Per essere approvato l'accordo avrebbe richiesto la ratifica delle assemblee provinciali entro tre anni. Faticosamente si giunse all'approvazione dell'accordo da parte di otto delle dieci province; le assemblee di Manitoba e di Terranova (dove, nel frattempo, era mutata la composizione del governo) non riuscirono, invece, ad approvarlo nei tempi stabiliti. Tale fallimento è principalmente da ricondurre all'ostilità che progressivamente emerse, anche a livello d'opinione pubblica, nelle province anglofone verso lo status privilegiato riservato al Quebec, considerato in contrasto con il principio di eguaglianza di trattamento di tutte le province.

Un secondo accordo fu raggiunto dai capi di governo provinciali e federale nell'agosto del 1992 a Charlottetown. Esso tentava di risolvere quelle questioni che, come ha osservato Sergio Ortino, negli ultimi anni avevano minacciato la stessa unità del Canada: la posizione del Quebec all'interno della federazione; l'attribuzione alle province di maggiori poteri nel parlamento federale attraverso la riforma del senato; il riconoscimento dell'autogoverno per le popolazioni autoctone del Canada. Data la sua importanza, anche se non richiesto dalla Costituzione, fu deciso di sottoporre l'accordo ad un referendum popolare, che diede, però, un esito negativo, con il 54,4% dei voti contrari.

Il fallimento di questi accordi, ed in particolare del *Meech Lake Accord*, che fu percepito dai quebecchesi come la dimostrazione dell'ostilità nei loro confronti delle altre province di lingua inglese, rinfocolò il nazionalismo francofono. Nel 1995, il Pq, tornato al potere l'anno precedente, promosse un nuovo referendum con il quale chiedeva l'autorizzazione per l'assemblea provinciale di dichiarare l'indipendenza del Quebec. La battaglia fu persa per pochi voti: i no raggiunsero la risicata maggioranza del 50,6%. Quasi la metà dei votanti si era espressa per l'indipendenza del Quebec dal Canada.

Il referendum del 1995 indusse il capo del governo canadese, il liberale Jean Chretien, a sottoporre alla Corte suprema la questione della legalità di un'eventuale secessione unilaterale. Secondo la sentenza, resa nota il 20 agosto 1998, una secessione unilaterale sarebbe da considerarsi illegale, sia dal punto di vista del diritto interno, sia da quello del diritto internazionale. Tuttavia, se una chiara maggioranza di cittadini del Quebec votasse in favore della secessione, se, cioè, vi fosse da parte loro «un chiaro ripudio [...] dell'ordine costituzionale esistente», ciò creerebbe un'obbligazione per il governo federale e i governi delle altre nove province di avviare dei negoziati a questo proposito. Con quest'ultima posizione, la Corte suprema non ha espresso, in relazione al Canada, una idea di nazione come entità indivisibile (l'*unione perpetua* di Lincoln), bensì il principio dell'esistenza di una mutua obbligazione tra le parti (vale a dire le province) tale per cui, se unilateralmente nessuno può distruggere la federazione, ad essa si può comunque porre fine tenendo conto «dei reciproci impegni e compromessi passati così come degli interessi presenti e futuri». Come si vede, il destino della federazione canadese appare ancora oggi tutt'altro che definito.

L'ipotesi della secessione è tutt'altro che remota, anche se non inevitabile. Secondo alcuni autori, la sopravvivenza della federazione potrebbe essere legata al mantenimento e all'approfondimento della sua natura *asimmetrica*, cioè, di relazioni politico-istituzionali differenziate tra il centro federale e le diverse province. Tali relazioni già esistono, in particolare, anche se non in modo esclusivo, per quanto riguarda il Quebec (anche se un suo status di *distinct society* ancora non è stato riconosciuto) rispetto al Rest of Canada (Roc). Già nel 1867 emersero tratti asimmetrici con il riconoscimento di prerogative culturali e linguistiche ad una minoranza francofona in buona parte territorialmente concentrata. Nella seconda metà del XX secolo altri elementi si sono aggiunti, come ad esempio il Piano pensionistico del Quebec, che ha introdotto un importante elemento di *federalismo asimmetrico* nel campo amministrativo, o la Legge linguistica del 1969, che ha rafforzato l'unilinguismo del Quebec, o, ancora, l'uso – dopo il 1982 – piuttosto esteso che questa provincia ha fatto dell'*opting-out*, uno strumento che, chiaramente, favorisce l'instaurazione di relazioni non omogenee all'interno della federazione, e che è stato pensato proprio per gestire contrasti e differenze tra le province.

5. Una via alternativa alla formazione dello Stato in Europa: Germania e Svizzera

In Europa la formazione di unità statali per federazione è avvenuta all'interno dei territori dell'Impero germanico. Una congerie di vescovati, principati e città libere che come tale resistette sino alle invasioni napoleoniche.

Le prime strutture federali emerse in quei territori furono costituite da alleanze tra comunità contadine o tra città, contro le pretese di dominio delle più forti unità politiche dinastiche che andavano delineandosi ai confini dell'impero. Solo due tra queste alleanze difensive sopravvissero ai potenti processi di centralizzazione territoriale dell'Europa moderna, entrambe collocate in snodi cruciali del sistema delle comunicazioni: la Confederazione svizzera, che controllava importanti passi delle Alpi, e le Province unite dei Paesi Bassi, che controllavano l'estuario del Reno. Queste ultime, in seguito all'occupazione napoleonica e alle decisioni del Congresso di Vienna, assunsero, tra il XVIII e il XIX secolo, la natura di Stato unitario.

Gli altri territori dell'Impero, o furono integrati nei più potenti stati-nazione ad occidente e a oriente della fascia centrale, o mantennero la loro natura politica composita fino a che, per la prima volta nella loro storia, non subirono una unificazione forzata, per mano dei francesi di Napoleone I. Nei decenni che seguirono furono messi in moto due importanti processi di unificazione, ove, in precedenza, si erano sviluppati forti standard linguistici comuni: Germania e Italia. Solo nel primo caso, però, l'esito fu un sistema politico federale.

L'unificazione della Germania

Il processo di unificazione della Germania interessò quell'area abitata dai popoli germanici (collocata nella parte centrale dell'Europa) che la pace di Westfalia (1648) aveva frazionato in una miriade di entità politiche, nonché uno dei due stati territoriali tedeschi formatisi ai margini dell'Impero: la Prussia. E si compì mediante l'esclusione dell'altro Stato territoriale di lingua tedesca: l'Austria.

Nella zona centrale, denominata «terza germania», tra il 1803 e il 1806 Napoleone impose la cancellazione di un centinaio delle più piccole entità dell'impero, permettendo alle unità politiche maggiori di ingrandirsi. Queste furono poi accorpate in una nuova organizzazione politica, la Confederazione del Reno, posta sotto il diretto controllo della Francia. Come ci segnala Ortino, fu quest'assetto politico semplificato, più che la complessa organizzazione dei territori tedeschi uscita dalla pace di Westfalia, a costituire il precedente dei successivi tentativi di federazione, e in particolare della Confederazione germanica del 1815.

La Confederazione germanica costituì la soluzione data dal Congresso di Vienna (presenti i principi tedeschi) alla sistemazione dei territori di quello che era stato l'impero germanico, e comprendeva, oltre alla cosiddetta «terza germania», anche la Prussia (con l'esclusione di Prussia orientale e occidentale, confinanti con Polonia e Russia) e l'Austria, il cui imperatore presiedeva la Confederazione. Si trattò di un'unione piuttosto labile, dominata dal dualismo austroprussiano, e motivata dal desiderio dei principi di realizzare una comune difesa, dopo l'esperienza dell'invasione francese. Essa prevedeva un solo organo costituzionale, l'Assemblea federale permanente (*Bundestag*), composta dagli inviati degli stati membri, che, per prassi, erano vincolati alle istruzioni dei loro rispettivi governi. Mancava, invece, un organo monocratico (un vero e proprio esecutivo) al vertice della nuova organizzazione politica, a riprova del suo carattere confederale.

Un'importante tappa del percorso d'unificazione, fu l'unione doganale (*Zollverein*) del 1834, fortemente voluta dalla Prussia, che già dagli anni Venti aveva attuato una politica volta a realizzare uno spazio economico tedesco più ampio. Essa univa diciotto stati tedeschi, con l'esclusione dell'Austria, e grazie al ruolo guida in campo economico che attribuì alla Prussia, pose importanti premesse per fare di quello stato il principale artefice dell'unificazione politica.

In seguito ai moti rivoluzionari del 1848, fu convocata a Francoforte un'assemblea nazionale con funzione costituente. Nel 1849 essa approvò una nuova Costituzione imperiale, che avrebbe consentito il superamento della più debole struttura federale del 1815, per realizzare un vero e proprio Stato federale. Destinata a rimanere lettera morta a causa del fallimento della rivoluzione, la Costituzione del 1849, scritta guardando al modello americano, costituì, come ha notato Carl Friedrich, «un paradigma per le successive generazioni di tedeschi».

La definitiva soluzione all'unificazione tedesca venne dalla Prussia di Guglielmo I e del cancelliere Otto von Bismarck. Interessata a creare un nuovo vincolo federale tra gli stati tedeschi, la Prussia inoltrò nel giugno 1866 all'Assemblea federale (presieduta dall'imperatore austriaco) un progetto di riforma della Confederazione che prevedeva l'esclusione dell'Austria. Il progetto provocò un voto contro la Prussia e, quindi, l'inizio delle ostilità con l'Austria, che si risolsero in poche settimane a favore della prima. Nel frattempo, la proposta prussiana di federazione inviata a diciannove stati tedeschi fu accolta con l'accordo di federazione del 18 agosto 1866; eletta nel febbraio 1867, l'Assemblea costituente approvò la nuova Costituzione, che diede vita alla Confederazione del Nord. In seguito alla vittoria nella guerra franco-prussiana del 1870, gli stati meridionali si unirono ad essa.

Il *Reich* tedesco del 1870 assunse una struttura federale che ricalcava il modello della precedente Confederazione del Nord. Presidente della federazione era il re di Prussia; il cancelliere federale – nominato dal presidente e non responsabile verso il parlamento – era il primo ministro prussiano. Il potere legislativo era suddiviso tra *Reichstag*, organo di rappresentanza del popolo eletto a suffragio universale maschile, e il *Bundesrat*, il Consiglio federale – diretto erede dell'assemblea federale del 1815 – formato dai rappresentanti dei governi dei singoli stati membri. Nominati dai rispettivi governi, i membri del *Bundesrat* dovevano attenersi alle istruzioni di voto degli stessi, e i rappresentanti di stati con più di un voto votare come un'unica delegazione. Organo principale del nuovo sistema federale, il *Bundesrat*, era fortemente condizionato dalla presenza prussiana. Se, infatti, la maggior parte degli stati aveva un voto, pochi altri due o quattro, la Prussia, lo stato più ampio e popoloso, ne aveva diciassette.

A causa del ruolo dominante svolto dalla Prussia, nonché della forte dipendenza del *Bundesrat* dalla volontà degli stati membri, alcuni studiosi hanno esitato a definire l'Impero tedesco un vero e proprio Stato federale. Contrario a quest'interpretazione è Carl Friedrich, secondo il quale proprio uno Stato federale (*Bundesstaat*), e non una semplice Confederazione di stati (*Staatenbund*) fu l'obiettivo dei costituenti tedeschi dell'epoca.

Con la Repubblica di Weimar (1919-1933), fu introdotto per la prima volta in Germania l'istituto della fiducia parlamentare. La struttura federale disegnata negli anni 1867-1870, subì anch'essa cambiamenti rilevanti. La Costituzione di Weimar, infatti, indebolì il carattere federale dello Stato tedesco. Furono, ad esempio, ampliate le competenze legislative del *Reich* rispetto ai *Länder*, fu concesso al *Reich* di intervenire nella ristrutturazione degli stati membri, e al parlamento centrale fu attribuito il potere di determinare le risorse finanziarie degli stati. La camera alta assunse essenzialmente la funzione di un comitato consultivo affiancato all'Assemblea nazionale.

La Legge fondamentale del 1949

L'8 maggio 1949, il Consiglio parlamentare riunito a Bonn, composto di 65 membri eletti dalle assemblee degli undici *Länder* che si erano costituiti nelle zone d'occupazione statunitense, inglese e francese, adottò la Legge fondamentale per la Repubblica federale tedesca; un documento concepito come una Costituzione provvisoria, in attesa della riunificazione con la parte della Germania sotto il dominio sovietico. Con la Legge fondamentale fu istituito in Germania un sistema di governo parlamentare e, al tempo stesso, ripristinata un'effettiva struttura federale, dopo la parentesi quasi-unitaria della Repubblica di Weimar e la radicale centralizzazione operata dal regime nazional-socialista. La scelta federale fu l'esito sia delle pressioni degli alleati, e in particolare degli americani (essi vedevano in una Costituzione federale la garanzia contro un'eccessiva concentrazione del potere che avrebbe potuto minacciare la stessa democrazia tedesca), sia della persistenza delle tradizioni tedesche.

Accanto ad un presidente con limitati poteri e ad un capo del governo (cancelliere), la Legge del '49 prevede una camera bassa eletta a suffragio universale dai cittadini della Repubblica federale (*Bundestag*), e una camera alta (*Bundesrat*) composta «da membri dei Governi dei *Länder*, che li nominano e li revocano». Ogni stato ha un numero fisso di rappresentanti, che è stato ricalibrato dopo l'unificazione (1990); oggi ogni stato possiede almeno tre voti, quelli con più di due milioni d'abitanti ne hanno quattro, quelli con più di sei milioni d'abitanti cinque e quelli con più di sette milioni sei. Ogni *Land* può inviare tanti membri quanti sono i suoi voti, ma i diversi rappresentanti del medesimo stato sono costituzionalmente obbligati a votare in modo unitario: è evidente la presenza di fatto di un mandato imperativo.

La particolare configurazione assunta dalla camera alta tedesca costituisce una delle testimonianze più evidenti del peso delle eredità istituzionali. La rappresentanza dei *Länder* mediante membri dei rispettivi governi, fu la soluzione adottata dopo un lungo dibattito che vide contrapporsi i sostenitori di questo sistema, che risaliva non solo alla Costituzione imperiale del 1871, ma aveva come più antico antecedente l'assemblea federale della Confederazione del 1815, ai fautori (tra i quali i rappresentanti del governo americano nella Germania occupata) del modello del senato, vale a dire una camera alta eletta dai cittadini degli stati. In quell'occasione la tradizione tedesca si dimostrò troppo forte per essere sconfitta.

Con la nuova Carta costituzionale, il *Bundesrat* ha riconquistato una posizione centrale nel sistema. Per l'approvazione degli emendamenti costituzionali è richiesta una maggioranza di due terzi in entrambi i rami del parlamento. Inoltre, tutta la legislazione che influenza le entrate o l'attività amministrativa dei *Länder* (circa la metà dei provvedimenti votati dalla camera bassa) è sottoposta al veto – non superabile da alcun voto del *Bundestag* – del *Bundesrat*. Anche quando il voto del *Bundesrat* non è vincolante, esso è, comunque, dotato di strumenti per cercare di influenzare provvedimenti non graditi.

Per quanto concerne la distribuzione delle competenze, la Legge fondamentale distingue tra *legislazione esclusiva* della federazione, nell'ambito della quale gli stati hanno competenza legislativa solo se autorizzati da una legge federale, e *legislazione concorrente*, nel cui ambito i *Länder* possono intervenire solo se il *Bund* (la federazione) non fa uso del suo diritto di legiferare (che sussiste quando una questione non può essere efficacemente regolata dai singoli stati; la regolazione da parte di uno stato potrebbe nuocere agli altri o alla collettività; l'unità giuridica o economica e, in particolare, l'uniformità delle condizioni di vita devono essere garantite). Tra le materie oggetto della legislazione esclusiva, vi sono: gli affari esteri e la difesa, la cittadinanza federale, la libertà di circolazione, il sistema valutario e monetario e i pesi e le misure, poste e telecomunicazioni, stato giuridico del personale del *Bund* e, dal 1993, il traffico aereo e ferroviario. Il *Bund* ha anche la facoltà, quando sussistono le medesime condizioni per la legislazione concorrente, di emanare in alcuni settori (dallo stato giuridico del personale dei *Länder* e dei comuni ai principi generali della scuola superiore) leggi-quadro.

Il governo federale ha fatto ampio uso delle proprie competenze, che ha anche ampliato negli anni grazie ad una serie d'emendamenti costituzionali. Questo fenomeno ha assunto particolare rilevanza nell'ambito fiscale. Inizialmente, la Costituzione prevedeva una reciproca autonomia impositiva di *Bund* e *Länder*. Con le successive riforme costituzionali, avviate già dalla metà degli anni Cinquanta, la politica fiscale è divenuta sempre più oggetto di cooperazione tra i due livelli di governo. Come ha notato David McKay, è progressivamente emersa una struttura fiscale ove stati e governo federale interagiscono, e ove quest'ultimo ha assunto sempre più responsabilità all'origine destinate ai *Länder*.

Un tratto tipico del federalismo tedesco è rappresentato dall'attribuzione ai *Länder* dell'esecuzione di gran parte della legislazione federale. L'amministrazione di tale legislazione da parte delle burocrazie dei singoli stati (federalismo orizzontale) configura un sistema di stretta e necessaria cooperazione tra i due livelli di governo. È anche questo un elemento che risale alle precedenti esperienze federative germaniche, ed in particolare alla Costituzione imperiale del 1871, ove i poteri amministrativi erano delegati ai *Länder*, le cui istituzioni politiche erano già chiaramente definite all'inizio dell'Ottocento, quando misero in atto significativi processi di modernizzazione delle loro amministrazioni.

Due elementi della Costituzione federale tedesca richiamano, invece, il modello americano. Il primo riguarda la presenza di una Corte suprema (*Tribunale federale*) a garanzia della Costituzione e con il compito, tra gli altri, di dirimere le controversie tra governo federale e stati federati. Il secondo concerne, invece, il procedimento di emendamento costituzionale, che anche nel caso della Legge del 1949 coinvolge gli stati, in virtù della necessaria approvazione con la maggioranza dei due terzi da parte di entrambe le camere, e quindi anche della camera federale, di qualsiasi mutamento costituzionale.

Un federalismo centralizzato e cooperativo

Come in altri casi, anche il federalismo tedesco ha subìto trasformazioni significative rispetto alla lettera della Costituzione. In esso hanno operato dinamiche centripete che hanno portato a definire quello tedesco un federalismo fortemente centralizzato. Tali dinamiche, cui già abbiamo fatto cenno nel paragrafo precedente, si sono sviluppate con particolare forza negli anni Cinquanta e Sessanta. Quel periodo è stato caratterizzato dallo sforzo del governo federale a favore di uno sviluppo economico in grado di creare equivalenti condizioni di vita in tutte le regioni del paese; uno sforzo condotto in cooperazione con i *Länder*. Il tentativo d'omogeneizzazione delle condizioni sociali ed economiche compiuto dal centro, è stato condotto non solo attraverso la cooperazione tra i due livelli di governo, ma anche mediante un'importante istituzione del federalismo tedesco, vale a dire le Conferenze dei capi di governo e le Conferenze dei ministri degli stati. L'ampliamento degli ambiti d'intervento del governo federale è, dunque, stato accompagnato dal consolidamento di pratiche proprie del federalismo cooperativo.

L'accentramento del sistema federale tedesco è legato, anche, alla natura dei suoi partiti. A differenza di quanto accade in Canada, non vi sono differenze (o, per lo meno, non vi sono state fino a tempi recenti) tra il sistema partitico nazionale e quelli dei *Länder*; entrambi i livelli sono stati per decenni dominati dai due grandi partiti di massa cristiano-democratico e socialista e dal più piccolo Partito liberale. Essi hanno, dunque, costituito un importante elemento d'unificazione del sistema politico-istituzionale.

A partire dagli anni Ottanta, però, si è prodotta una differenziazione territoriale degli interessi che ha provocato tensioni tra gli stati e tra questi e il governo federale. In quegli anni, si registra, infatti, una crescente eterogeneità economica tra i *Länder* e, quindi, una nuova frattura tra gli stati del Nord, colpiti dalla crisi delle industrie tradizionali e quelli del Sud, favoriti dallo sviluppo di settori altamente tecnologici. In conseguenza di ciò, alcuni *Länder*, quelli più ricchi, hanno cercato di aumentare la loro autonomia, contestualmente agli sforzi del governo guidato dal cristiano-democratico Kohl (al potere dal 1982) compiuti per moderare il carattere cooperativo del sistema federale, attribuendo maggiore autonomia sia ai *Länder*, sia al governo centrale. Gli altri – gli stati più poveri – hanno, invece, premuto per favorire un supporto finanziario a loro favore. Dopo l'unificazione, le tensioni di natura territoriale hanno assunto ancora maggiore rilevanza a causa del nuovo *cleavage* tra *Länder* orientali e occidentali.

Se guardiamo al funzionamento del federalismo tedesco in prospettiva comparata, considerando, cioè, anche altri sistemi, questi processi non sono riusciti, però, a intaccare il suo carattere *integrato*. Ciò appare vero anche dopo l'unificazione del 1990, avvenuta integrando i nuovi *Länder* nel sistema costituzionale della Germania occidentale. Pur sussistendo tensioni tra gli stati e tra i diversi livelli di governo, a causa, principalmente, dei differenti interessi economici dei *Länder* e delle sempre maggiori difficoltà di realizzare quell'eguaglianza di condizioni così tenacemente perseguita nei primi due decenni della Repubblica, i conflitti politici non hanno generato alleanze durature tra gruppi di *Länder*. Al tempo stesso, quei conflitti sono stati mediati prevalentemente dai partiti tradizionali, radicatisi anche nelle zone orientali del paese; accanto ad essi hanno assunto rilevanza i Verdi e il Pds (Partito del socialismo democratico), erede del Partito comunista della Germania orientale e unico partito, peraltro con limitato seguito, ad avere una connotazione territoriale.

In conclusione, il sistema federale tedesco continua a presentare un carattere centralizzato, con una forte capacità di leadership del governo federale, in un contesto, però, di federalismo cooperativo, che consente la significativa partecipazione dei *Länder* alla politica nazionale. Una prerogativa ribadita con l'emendamento costituzionale del 1994, che ha attribuito al *Bundesrat*, la camera federale, un diritto di veto sulle questioni riguardanti l'Unione europea, trasformandolo in uno degli attori più importanti della partecipazione tedesca al processo di unificazione europea.

La Confederazione svizzera

Delle due alleanze sorte nella fascia centrale dell'Europa a scopi di difesa e di protezione dei privilegi commerciali, solo la Confederazione svizzera riuscì a neutralizzare lo sforzo d'unificazione dell'occupante francese. La composita struttura politica svizzera fu, in un primo tempo, trasformata da Napoleone in uno Stato unitario. L'ostilità verso l'occupante e la consapevolezza delle profonde differenze esistenti tra i cantoni, d'ordine linguistico (quelle valli alpine si trovavano al confine di ben tre zone linguistiche: tedesca, francese e italiana) e religioso (dopo la riforma un numero consistente di cantoni aveva aderito alla religione riformata) lo costrinse, però, nel 1803, a dare una struttura confederativa a quei territori. Una struttura confermata con il Patto federale del 1815, successivo al riconoscimento da parte del Congresso di Vienna della neutralità perpetua della Svizzera.

Prima dell'intervento francese, la Svizzera, come ha notato lo storico Wolfgang Reinhard, altro non era che un complicato intreccio di leghe. Nel Sei e Settecento, il *Corpus Helveticum*, comprendeva una Confederazione di tredici cantoni, risalente al 1513, tre leghe e la Repubblica del Vallese, collegate alla Confederazione ma autonome, e una serie di territori sottomessi, appartenenti a singoli cantoni o a gruppi di cantoni, ma non a tutti. La prima associazione fu costituita nel 1291 tra le comunità montane di Uri, Shwyz e Unterwalden, per la pace territoriale e la comune difesa. Nel XIV secolo essa si espanse (altri cinque cantoni si aggiunsero agli originari) e affermò con successo la propria autonomia contro i tentativi degli Asburgo di ampliare i loro possedimenti. Già all'epoca emerse la contrapposizione tra cantoni rurali e cittadini; fu proprio tale conflitto a ritardare il riconoscimento come membri a pieno titolo di altri cinque cantoni, prevalentemente cittadini, come tali accolti nel 1513, anche se con un rango leggermente inferiore.

Questo sistema di «premoderne relazioni di dominio non omogenee» avrebbe subìto una forte modernizzazione, omogeneizzazione e razionalizzazione con la conquista napoleonica. Sia nel 1803, sia nel 1815, il sistema politico svizzero assunse la natura di una debole federazione, avente come organo comune una Dieta, formata dai rappresentanti dei cantoni, che votavano secondo le istruzioni dei loro governi. Solo nel 1848 esso avrebbe acquisito un carattere più centralizzato, trasformandosi in un vero e proprio Stato federale. A ciò si giunse al termine dell'ennesimo conflitto armato tra cantoni cattolici e protestanti, che seguiva la serie di guerre e trattati che aveva contraddistinto la storia elvetica a partire dal primo scontro del 1531. Nel 1847, la guerra scoppiò tra l'alleanza protestante (*Schutzverein*), e quella cattolica (*Sonderbund*), intenzionata a secedere. La Guerra del Sonderbund fu una guerra non solo di religione, ma anche tra forze liberali e radicali, prevalentemente urbane e protestanti, e forze conservatrici, prevalentemente rurali e cattoliche. La vittoria dei primi fu la necessaria premessa per la nuova Costituzione, di carattere liberale, del 1848.

La nuova Repubblica federale concedeva ampia autonomia ai cantoni, ai quali la Costituzione lasciava le *competenze residue*, elencando, invece, quelle, piuttosto ridotte, della Confederazione. L'esigenza di un più forte potere centrale, anche a fronte dei processi d'unificazione nazionale che avevano portato alla formazione di due nuovi potenti stati – l'Impero germanico e il Regno d'Italia – a nord e a sud della Svizzera, condusse nel 1874 ad una revisione della Costituzione, che assegnò nuovi poteri alla federazione, tra cui la sovranità militare e il compito dell'unificazione giuridica.

L'assetto istituzionale della Confederazione svizzera, così come delineato nel 1848 e poi nel 1874, prevedeva un vero e proprio esecutivo a livello federale, il Consiglio federale, composto da sette membri (non più di uno per cantone), che ogni anno nominava al proprio interno un presidente; scelto dal parlamento, non poteva essere da esso deposto mediante voto di sfiducia, avendo la durata fissa di quattro anni (è questa l'originale forma di governo direttoriale svizzera). Accanto all'esecutivo un'assemblea federale con due camere con eguali poteri legislativi: il Consiglio degli stati, ove erano rappresentati i cantoni che inviavano ognuno due rappresentanti votati dai parlamenti cantonali (oggi ogni cantone sceglie la propria modalità di designazione), e il Consiglio nazionale, eletto a suffragio universale maschile. Com'era accaduto alla Convenzione di Filadelfia, la cui esperienza era ben nota ai costituenti svizzeri dell'epoca, questo bicameralismo che coniugava rappresentanza nazionale e rappresentanza delle unità federate, costituì il compromesso tra i fautori (tra cui i cantoni più grandi) di un'unica camera eletta dai cittadini a livello nazionale, e quanti proponevano il mantenimento, come unica camera, di un Consiglio degli stati (Dieta).

La Carta costituzionale del 1874, con i successivi, numerosi, emendamenti, è rimasta in vigore sino al gennaio 2000, quando è divenuta vigente la nuova Costituzione; un testo che ha consentito una semplificazione di quello precedente (appesantito da più di un secolo d'emendamenti), nonché il recepimento dei mutamenti di fatto avvenuti nel tempo, in particolare nei rapporti tra governo federale e cantoni.

Un federalismo decentrato

L'identità nazionale svizzera si è sviluppata lentamente, attraverso un lento processo di risoluzione dei conflitti, durante il XIX secolo (che ha visto la violenta contrapposizione tra cattolici e protestanti) e il XX, caratterizzato dalle tensioni tra francofoni e germanofoni, in particolare durante la Prima guerra mondiale, e l'emergere di un forte Partito socialista. Al tempo stesso, tale identità ha trasceso le differenze linguistiche all'interno della Confederazione. Tutto ciò, e dunque la formazione di un interesse nazionale svizzero, è stato reso possibile dalle sue particolari istituzioni, al tempo stesso *consociative* e *federali*.

Il sistema elettorale proporzionale, consente la rappresentanza nel Consiglio nazionale di tutti i maggiori partiti, che a loro volta sono espressione delle contrapposizioni tipiche della società svizzera; la natura collegiale dell'esecutivo (il Consiglio federale), ove i sette membri rappresentano i partiti rilevanti (secondo la formula 2-2-2-1), nonché le tre lingue e le due religioni della Confederazione, permette la partecipazione dei rappresentanti dei diversi gruppi (religiosi, linguistici, ideologici) al processo decisionale a livello federale. Sono questi, istituti tipici della *democrazia consociativa*.

La struttura federale, a sua volta, attribuisce ampia autonomia ai cantoni, con le loro specificità culturali, economiche e sociali, e fornisce la soluzione al problema linguistico. Se, infatti, la Costituzione riconosce come lingue ufficiali l'italiano, il francese e il tedesco (e come lingua nazionale anche il romancio), di fatto si è consolidato il *principio territoriale*, secondo cui in ogni cantone è utilizzata una sola lingua (i cantoni bi- o plurilingui sono solo tre). L'attuazione di tale principio costituisce, agli occhi delle comunità di lingua italiana e francese, una salvaguardia delle loro identità linguistiche e culturali, tradizionalmente percepite come minacciate dalla più numerosa e storicamente dominante comunità di lingua tedesca.

Le specificità cantonali, e, in particolare, la diversità linguistica, che reca con sé più profonde differenze culturali e di stili di vita, costituiscono, probabilmente, il fattore che meglio aiuta a comprendere il mantenimento di un sistema federale altamente decentrato. Un sistema finalizzato al mantenimento dell'unità del sistema politico in un contesto altamente eterogeneo. E che si accompagna ad un sistema partitico parimenti decentrato, ove i partiti nazionali altro non sono che federazioni di partiti cantonali.

Le ampie competenze cantonali (dall'ordine pubblico al *welfare* e al sistema sanitario, dalle relazioni Stato-Chiesa all'educazione, all'organizzazione del territorio) e le altrettanto ampie facoltà di ricorrere ad un'autonoma tassazione, introducono nel sistema federale svizzero elementi propri del federalismo duale, che prevede una reciproca autonomia tra i due livelli di governo, centrale e, in questo caso, cantonale. Non mancano, però, elementi propri del federalismo cooperativo. Primo fra tutti, l'amministrazione dei programmi federali da parte dei cantoni ed anche dei comuni. A parte ambiti ristretti, non esiste, infatti, un'amministrazione federale diffusa sul territorio. Ciò comporta un alto livello di cooperazione tra unità subnazionali e governo federale. Ma comporta, anche, la possibilità per i cantoni di bloccare o trasformare programmi federali non graditi nella fase d'attuazione, grazie anche all'esiguità dei mezzi coercitivi nelle mani del governo federale per controllare l'esecuzione dei propri programmi, nonché alla riluttanza a utilizzare quelli esistenti. Questa situazione porta, in molti casi, a notevoli variazioni nell'esecuzione delle politiche federali sul territorio.

Esistono anche forme di collaborazione tra i cantoni. Essenzialmente due sono gli strumenti di coordinamento intercantonale. I trattati tra gruppi di cantoni, che consentono di regolare in modo omogeneo questioni legislative, amministrative e giuridiche; organizzazioni intercantonali, tra cui le più importanti sono le Conferenze dei ministri e quelle dei governi cantonali. Tali conferenze, con funzioni di consultazione, perseguono per lo più l'obiettivo di influenzare la politica federale, in particolare nel campo della politica estera, ed assicurare una comune definizione dei problemi da parte dei cantoni.

Un altro luogo ove i cantoni possono partecipare alla definizione della politica nazionale è, almeno formalmente, il Consiglio degli stati. In realtà, come accade in altri sistemi federali, come quelli statunitense o australiano, i membri della camera alta si dividono più su linee partitiche che non sulla base d'interessi cantonali.

Il potere cantonale, piuttosto che attraverso il Consiglio degli stati, è garantito con ben maggior vigore dagli strumenti di democrazia diretta. 50.000 elettori svizzeri o almeno otto cantoni possono richiedere di sottoporre una legge del parlamento (fatta eccezione per le leggi di spesa), entro cento giorni dalla sua approvazione, ad un referendum popolare. La legge sarà considerata approvata solo dopo il voto favorevole della maggioranza dei cittadini che partecipano al voto. Accanto a tale referendum facoltativo previsto per la legislazione ordinaria, è poi richiesto un referendum obbligatorio per le leggi di riforma della Costituzione. In questo caso, esse entrano in vigore se hanno ottenuto il consenso non solo dei cittadini a livello nazionale, ma anche della maggioranza dei cantoni; per la quale s'intende la maggioranza dei cantoni nei quali i votanti hanno accolto la proposta di riforma. Questa *doppia maggioranza* è richiesta anche per l'adesione ad organizzazioni di sicurezza collettiva o a comunità sovranazionali.

Questi strumenti di democrazia diretta, attribuendo ai cittadini e ai cantoni un potere di veto sulla legislazione ordinaria e costituzionale, indeboliscono inevitabilmente la capacità decisionale del governo federale. Per evitare veti potenziali si è consolidata la pratica di consultazioni nella fase d'elaborazione legislativa, con tutti quegli attori collettivi che potrebbero fare uso degli strumenti sopra descritti per bloccare iniziative non gradite: partiti politici, organizzazioni sociali, economiche e professionali e, naturalmente, cantoni. Il referendum, ed in modo rilevante il requisito della doppia maggioranza, ha influito in modo rilevante sulle questioni di politica estera; nel 1992, ad esempio, una maggioranza di cittadini e di cantoni ha bocciato la proposta d'adesione (che trovava un ampio consenso tra i partiti e i gruppi d'interesse) allo spazio economico europeo.

Se non mancano le forme di collaborazione tra governo federale e cantoni, il ruolo di questi ultimi nell'elaborazione della politica nazionale appare prevalentemente, come ha osservato Gerhard Lehmbruch, quello di porre vincoli al processo decisionale a livello centrale. Ciò ci consente di spiegare (almeno in parte) il limitato accrescimento – in confronto ad altre federazioni come quella tedesca e statunitense – del peso e delle competenze delle autorità federali.

Anche in Svizzera, in particolare a partire dagli anni Cinquanta, in risposta alle mutate condizioni socioeconomiche e politiche è stato compiuto lo sforzo di aumentare le competenze e il peso del governo federale, e di attuare dal centro politiche di riequilibrio delle risorse tra le varie regioni del paese. Questi tentativi, rispetto alle altre esperienze federali, hanno avuto risultati limitati. Lo sviluppo della previdenza sociale, ad esempio, è stato attuato principalmente attraverso il potenziamento e adattamento del Terzo settore (reti di sindacati e associazioni di volontariato), posto sotto la responsabilità di comuni e cantoni. Solo nel campo delle assicurazioni sociali (pensioni, malattia, ecc.) vi è stato un più forte coinvolgimento del livello federale. Inoltre, da un punto di vista quantitativo, lo sviluppo del settore pubblico ha visto una diminuzione percentuale del peso del governo federale rispetto a cantoni e comuni.

Questa situazione è da addebitare anche alle limitate competenze centrali nel campo della tassazione, a fronte dell'ampia libertà d'azione dei cantoni. Tali competenze sono regolate dalla Costituzione, per cui ogni cambiamento richiede un emendamento costituzionale. Ciò è vero non solo per la tassazione, ma per tutti gli altri possibili ambiti d'intervento del governo federale. Per estendere i loro poteri, perciò, le autorità federali hanno fatto ricorso a limitati e parziali emendamenti costituzionali in grado di trovare ampio consenso. A differenza degli Stati Uniti, infatti, esse non hanno potuto usufruire di un'interpretazione estensiva dei loro poteri da parte del Tribunale federale; la cosa sarebbe stata impossibile poiché quest'organo in Svizzera non ha il potere di giudicare della costituzionalità delle leggi. D'altro canto, l'adozione di provvedimenti che fossero andati oltre i loro poteri costituzionalmente previsti (formalmente possibile data l'assenza del controllo di costituzionalità), avrebbe potuto essere ostacolata dal ricorso a strumenti di democrazia diretta. In generale, possiamo dunque affermare – e su questo esiste ampio consenso tra scienziati politici ed economisti – che la complessità dei processi decisionali, e in particolare di quelli relativi alle riforme costituzionali, che richiedono la doppia maggioranza, ha limitato l'espansione delle politiche pubbliche e la centralizzazione, e ostacolato l'aumento della spesa e della tassazione a livello federale.

La nuova Costituzione, approvata nel 1999 ed entrata in vigore nel gennaio 2000, segnala però l'esigenza di un ruolo più significativo del livello centrale e di un maggior coordinamento tra livelli di governo. Essa, infatti, attribuisce nuove competenze (anche in materia di tassazione) alla Confederazione, e, in particolare, le attribuisce «i compiti che esigono un disciplinamento unitario». Quali saranno le conseguenze di questi pur limitati mutamenti (e altri sono ancor oggi in discussione) è al momento materia di dibattito.

6. Dallo Stato unitario allo Stato federale: Belgio e Spagna

In letteratura sono considerati federali anche quegli assetti frutto non di un'unione, bensì, come ha scritto Friedrich, di «un processo attraverso il quale una comunità politica precedentemente organizzata in modo unitario, si differenzia in un numero di comunità politiche separate e distinte». A partire dagli anni Settanta, due paesi europei sono stati investiti da un tale processo: il Belgio e la Spagna.

Il riconoscimento del problema linguistico in Belgio

In Belgio il processo di decentramento è legato allo sviluppo di due identità nazionali, con una propria lingua, compresenti in Belgio a causa della sua collocazione sulla linea di confine – stabile a partire dal V secolo – tra zone di lingua germanica e zone di lingua romanza. Originariamente, la questione linguistica si presenta come una «questione fiamminga». Parlato nelle regioni settentrionali del paese, il fiammingo (un dialetto olandese) costituiva, ancora nell'Ottocento, la lingua del popolo. Il francese, parlato non solo dagli abitanti del Sud, i valloni, bensì anche dalle élite di tutto il Belgio, costituiva la lingua ufficiale, come tale riconosciuta dalla Costituzione del 1831.

La prima, limitata, mobilitazione fiamminga risale agli anni 1840-1850 e coinvolse in prevalenza gli intellettuali fiamminghi, appartenenti alla classe media urbana. Senza porre in discussione la natura unitaria dello Stato, tali élite chiedevano la pari dignità del fiammingo nell'amministrazione pubblica dei loro territori. In quella fase, però, il problema linguistico era ancora debolmente politicizzato: i leader fiamminghi erano divisi tra i tre maggiori partiti del paese (cattolico, liberale e socialista), ed erano i conflitti confessionale e di classe a dominare la vita politica.

Le prime leggi linguistiche, approvate tra il 1873 e il 1891, istituirono, almeno sulla carta, un'amministrazione bilingue nei territori fiamminghi, che, però, non incrinò il ruolo del francese come lingua dei gruppi politici ed economici dominanti. Tale situazione radicalizzò le richieste dei fiamminghi, volte non più solo a rendere possibile l'uso della propria lingua, ma a promuovere l'affermazione di una *comunità* fiamminga nel suo insieme, con una propria classe dirigente esclusivamente di lingua fiamminga; per fare ciò sarebbe stato necessario escludere l'uso del francese dalle province fiamminghe.

Ma è solo a partire dai primi anni del XX secolo, con lo sviluppo della politica di massa, che il movimento fiammingo cominciò a diffondersi. Un'importante risposta alle sue richieste furono le leggi del 1932, che istituirono l'unilinguismo nella Vallonia e nelle Fiandre, e con esso il *principio di territorialità*, secondo cui in ogni regione sarebbe stata utilizzata nell'ambito pubblico, compreso quello scolastico, una sola lingua. Nel periodo 1962-63 nuove leggi confermarono tale principio e rafforzarono il bilinguismo della città di Bruxelles (capitale del paese, situata in territorio fiammingo ma abitata in maggioranza da francofoni), istituito nel 1932.

Con questi provvedimenti legislativi, però, non si giunse ad alcuna soluzione definitiva. Da parte fiamminga si premeva sempre più per ottenere un'ampia autonomia in alcune aree, in particolare l'istruzione e la cultura. Da parte vallona, a causa della crisi economica di quella regione che ribaltava la tradizionale posizione di preminenza rispetto alla parte settentrionale del paese, cominciavano ad essere avanzate nuove domande d'autonomia, non tanto nel settore culturale, quanto in quello economico: si temeva che un governo centrale ove sempre più forte era la presenza dei fiamminghi, numericamente superiori nel paese, non avrebbe dato una risposta adeguata ai gravi problemi economici delle province meridionali. La mobilitazione dei due gruppi, nel frattempo, aveva anche investito il sistema partitico: nel 1954 era sorto quello che sarebbe stato il più importante partito nazionalista fiammingo: il Volksunie, nel 1961 il *Mouvement vallon*; tra gli anni Sessanta e Settanta, inoltre, tutti e tre i tradizionali partiti del Belgio si erano divisi al loro interno in due separate organizzazioni, fiamminga e vallona.

Le riforme costituzionali

Tra gli anni Settanta e gli anni Novanta, si sono susseguite quattro ondate di riforme costituzionali (1970, 1980, 1988, 1993) che hanno trasformato radicalmente l'assetto unitario del Belgio. La lunghezza e complessità di questo processo si spiegano con la difficoltà di trovare un equilibrio tra pretese diverse e spesso inconciliabili, e quindi di realizzare quelle maggioranze qualificate richieste per la revisione costituzionale. Un obiettivo, quest'ultimo, reso ancora di più difficile realizzabilità a partire dal 1970, quando per tutte le leggi riguardanti le materie etnico-culturali viene richiesto anche il voto favorevole della maggioranza sia del gruppo linguistico francofono, sia di quello fiammingo, costituiti in seno alla camera e al senato (*leggi speciali*).

Le riforme degli anni 1970-71 sanzionarono costituzionalmente il *principio territoriale*, con l'identificazione di quattro regioni linguistiche: francese, olandese (fiamminga), bilingue di Bruxelles e tedesca. Con esse, inoltre, fu stabilito che il Consiglio dei ministri, fatta eccezione per il primo ministro, avrebbe sempre dovuto contare lo stesso numero di membri di lingua francese e di lingua fiamminga. In quell'occasione, furono anche delineate per la prima volta le entità che avrebbero costituito la base dell'assetto federale belga: le comunità e le regioni. Furono identificate due comunità, francofona e fiamminga, alle quali fu attribuita un'ancora modesta autonomia in campo culturale (più una terza comunità germanofona con scarse competenze di rilievo locale), e tre regioni territoriali con competenze economico-sociali: la regione vallona (composta dalle province del Brabante vallone, Hainaut, Liegi, Lussemburgo e Namur), quella fiamminga (composta dalle province d'Anversa, Brabante fiammingo, Fiandra occidentale e orientale, Limburgo), quella di Bruxelles-capitale.

L'identificazione di comunità secondo un criterio d'appartenenza culturale, e di regioni secondo un criterio territoriale, è dovuta, da un lato, alle richieste d'autonomia culturale dei fiamminghi, dall'altro, alle esigenze di autogoverno in campo economico-amministrativo espresse dai valloni. Questo schema complesso fu anche l'esito della difficile trattabilità del problema di Bruxelles, collocata in territorio fiammingo ma abitata da una maggioranza di francofoni. La particolare situazione della capitale, infatti, ha sempre reso impossibile una totale sovrapposizione tra appartenenza linguistica e appartenenza territoriale. Furono anche previsti un esecutivo e un consiglio (assemblea legislativa) sia per le regioni, sia per le comunità, anche se solo con le riforme del 1980 fu completata l'istituzione di questi organi, fatta eccezione per Bruxelles, che accanto all'esecutivo avrà finalmente un Consiglio solo nel 1989, quando viene finalmente costituita la regione di Bruxelles composta dalla capitale e da diciannove comuni limitrofi.

I diversi passaggi di questo lungo processo di revisione, hanno prodotto una sempre più ampia devoluzione di competenze alle comunità e alle regioni (con l'attribuzione, nel 1988 di una sostanziale sovranità in campo educativo alle comunità). Nel 1980 fu affermato il principio dell'attribuzione delle *competenze residue* allo Stato e la specifica elencazione di quelle di comunità e regioni, al contrario di quanto avviene negli altri sistemi federali. Quest'impostazione è stata ribaltata nel 1993, con l'introduzione del principio dell'enumerazione delle competenze a favore dello Stato e, quindi, il riconoscimento dei *poteri residui* agli enti federati; si tratta di un cambiamento che, come ha notato Ortino, ha rappresentato un passo significativo verso un vero e proprio sistema federale.

Per quanto concerne i finanziamenti di comunità e regioni, essi avvengono prevalentemente mediante trasferimenti statali. Dal 1989, però, la loro entità è commisurata al contributo fiscale delle varie componenti dello Stato, ferme restando forme di perequazione finanziaria. Nel 1993 tale sistema è stato ulteriormente perfezionato, con l'introduzione di limitati poteri d'imposizione fiscale autonoma. Rispetto ad altri sistemi federali, però, l'autonomia fiscale continua ad essere ridotta, rimanendo prevalente il trasferimento di risorse finanziarie dal centro.

Il *disegno federale* è stato completato nel 1993, quando il Belgio è stato definito dalla stessa Costituzione, uno «Stato federale formato da comunità e regioni». Cruciale, a questo proposito, è il fatto che i Consigli di comunità e regioni divengono direttamente elettivi; prima di allora, infatti, essi erano composti dai membri del parlamento nazionale. Meno significativa, dal punto di vista del disegno federale, è stata la riforma della camera alta, precedentemente composta da senatori eletti su base nazionale con il sistema proporzionale. Dal 1993 il senato è composto da 71 membri: 40 eletti direttamente dai cittadini belgi, 21 designati dai tre Consigli di comunità e 10 cooptati dai senatori scelti dalle comunità. Tra i 40 senatori eletti direttamente, 25 devono essere di lingua fiamminga e 15 francofoni, i senatori scelti dai Consigli devono essere per metà fiamminghi e per metà francofoni e quelli cooptati, 6 fiamminghi e 4 valloni. Con la riforma del 1993 viene, dunque, istituito un collegamento con la dimensione federale del paese, anche se la rappresentanza delle comunità realizzata dal senato appare ancora incompleta, e non paritaria, in quanto si consente alla più numerosa popolazione fiamminga di avere una rappresentanza che riflette la sua maggiore consistenza numerica (41 senatori fiamminghi contro 29 senatori francofoni). Inoltre, con la riforma del 1993, quest'assemblea, che fino allora possedeva eguali poteri rispetto alla Camera dei rappresentanti, è stata trasformata, come osserva ancora Ortino, in una «camera di riflessione», con limitati poteri legislativi. Un fatto che limita ulteriormente la capacità del senato belga di rappresentare efficacemente le comunità.

Un federalismo eccentrico

Con due diversi enti alla base della federazione, comunità e regioni, ad un federalismo territoriale si sovrappone un federalismo corporativo, con il quale – come abbiamo visto – si attribuiscono poteri a gruppi culturalmente distinti, non concentrati territorialmente.

La presenza di comunità e regioni, distinte per composizione e competenze, inoltre, rappresenta uno degli elementi del carattere asimmetrico del federalismo belga, che riflette il maggiore interesse dei fiamminghi per la dimensione comunitaria (linguistica e culturale) e dei valloni per la dimensione regionale-territoriale; inoltre, mentre i fiamminghi hanno realizzato una fusione degli organi regionali con quelli comunitari, i valloni hanno mantenuto distinte le istituzioni regionali e comunitarie. Elementi d'asimmetria derivano anche dai minori poteri attribuiti alla regione di

Bruxelles-capitale e alla comunità di lingua tedesca rispetto agli altri enti della federazione, e dalla rappresentanza (anche se parziale) delle sole comunità nella camera alta.

Il federalismo belga, infine, presenta una natura duale. Il governo federale e gli enti federati amministrano autonomamente la legislazione di propria competenza. Inoltre, la dimensione dell'autonomia dei diversi governi prevale rispetto alla dimensione della cooperazione (anche a causa dell'assenza di un senato federale). Va, infine, rammentato, che le forze che hanno prodotto il radicale decentramento dello Stato belga, non hanno ancora esaurito la loro spinta: significativi conflitti contrappongono ancora i due gruppi, e il processo di federalizzazione appare ancora aperto.

Formazione dello Stato e conflitto centro-periferia in Spagna

Il processo di federalizzazione, in Spagna, è avvenuto contestualmente al processo di democratizzazione, avviato dopo la morte del dittatore Francisco Franco nel 1975. Entrambi i processi sono stati condotti dai principali partiti politici (l'Unione del centro democratico, il Partito socialista, il Partito comunista e, dopo la dissoluzione dell'Ucd, il Partito popolare), con la partecipazione delle forze politiche nazionaliste, fin dall'inizio il partito catalano Convergenza e Unione, e solo più tardi il Partito nazionalista basco.

Con il decentramento politico spagnolo attuato a partire dalle disposizioni contenute nella Costituzione del 1978, si è cercato di risolvere il conflitto tra più periferie con una forte identità nazionale (in particolare quelle basca, catalana e, in minore misura, galiziana) e il centro politico castigliano. Questo conflitto centro-periferie ha origine nel processo di formazione dello Stato spagnolo. La Spagna prende forma a partire dalla coalizione di un gruppo di regni cristiani, Navarra, León-Castiglia, Aragona (una confederazione delle regioni aragonese, catalana e di Valencia) e Portogallo, per la *Reconquista*, a partire dall'XI secolo, della Penisola iberica sotto il dominio arabo. Intorno al 1260 essa era già stata totalmente riconquistata, a parte il piccolo Regno di Grenada. In quei tre secoli il regno di Castiglia acquisì il dominio su gran parte della penisola, ove sopravvivevano, accanto ad esso, il Regno del Portogallo, indipendente sin dal XII secolo e il Regno di Aragona. Con l'unione dei Regni di Castiglia e Aragona mediante il matrimonio di Ferdinando d'Aragona e Isabella di Castiglia (1469), si compì un passo fondamentale verso l'unificazione della penisola, liberata dagli arabi con l'ultima crociata che portò nel 1492 alla caduta di Grenada. L'affermazione sulla Penisola iberica del Regno di Castiglia e il processo di centralizzazione tra i secoli XVI e XIX incontrarono forti resistenze da parte di alcune periferie. Nei secoli precedenti l'unione del 1469, il Regno d'Aragona aveva esercitato una forte opposizione nei confronti del più potente vicino castigliano. Dopo l'unificazione esso, ed in particolare la Catalogna, continuò ad esercitare la propria resistenza contro il potere centrale, con tentativi anche di secessione della Catalogna, che fu definitivamente integrata nel Regno di Spagna, con la perdita dei tradizionali privilegi d'autogoverno d'origine medievale (*fueros*), nel 1714. I conflitti di questa regione, economicamente sviluppata, con una forte identità culturale ed una propria lingua e letteratura, proseguirono per tutto l'Ottocento, in corrispondenza della politica centralizzatrice delle élite liberali, e nel Novecento. Durante la Seconda Repubblica (1931-36) i Repubblicani riuscirono a trovare un compromesso con la concessione di una limitata forma d'autogoverno (*Generalidad*), poi abolita da Franco.

Un'ancora più forte identità culturale (linguistica) separata ha caratterizzato per secoli i baschi, insediati nei Pirenei occidentali ben prima dell'arrivo dei Romani, in quei territori organizzati a partire dal IX secolo nel Regno di Navarra, centro di resistenza all'espansionismo franco e poi musulmano, integrato nella Spagna di Ferdinando nel 1512. Le province basche mantennero fino all'Ottocento una serie di privilegi (*fueros*), concessi dai sovrani in virtù della loro posizione che li caratterizzava come difensori dei confini settentrionali del Regno. L'autonomia garantita dal regime forale fu però perduta dopo il 1876, dopo, cioè, la Seconda guerra carlista che aveva contrapposto i liberali all'alleanza dei nazionalisti baschi con le forze cattoliche e tradizionaliste della Navarra e della Catalogna. Analogamente a quanto avvenuto per la Catalogna, anche ai baschi fu promesso durante la Seconda Repubblica la concessione di una forma d'autogoverno; i ritardi nella sua attuazione impedirono, però, che essa si concretizzasse prima della guerra civile (1936) e dell'instaurazione del regime dittatoriale di Francisco Franco. Un regime che rifiutò il riconoscimento di qualsiasi differenza linguistica o culturale all'interno dello Stato spagnolo.

Lo Stato delle autonomie

La soluzione che emerge dalla Costituzione del 1978, costituisce il compromesso raggiunto tra diversi attori con diverse posizioni rispetto al decentramento dello Stato: i nostalgici del franchismo, legati ad una idea di Stato unitario e centralizzato, i partiti della sinistra e le forze nazionaliste, che propugnavano un assetto confederale o una qualche forma di «federazione plurinazionale»; il re Juan Carlos e il capo del governo Suarez (Ucd) favorevoli ad una qualche forma di decentramento in un contesto unitario. Il compromesso (Patti della Moncloa, 1977) prefigura un percorso di progressivo decentramento, individuando, al tempo stesso una soluzione tempestiva per rispondere alle più pressanti richieste di autonomia provenienti dalle forze nazionaliste.

L'articolo 2 della Costituzione tenta di contemperare il

principio dell'unità nazionale con il riconoscimento delle autonomie, laddove, accanto all'«unità indissolubile della Nazione spagnola», riconosce e garantisce «il diritto all'autonomia delle nazionalità e delle regioni che la compongono». Le modalità per l'ottenimento di tale autonomia sono indicate innanzitutto all'articolo 143, che prevede per «le province limitrofe con caratteristiche storiche, culturali ed economiche comuni, i territori insulari e le province d'importanza regionale storica» la possibilità di accedere all'autogoverno costituendosi in comunità autonome, con propri statuti, che richiedono l'approvazione del parlamento (*Cortes*) e devono contenere, tra l'altro, la definizione dell'organizzazione istituzionale nonché le competenze assunte dalla comunità autonoma. La Costituzione elenca anche le competenze alle quali le comunità autonome una volta costituitesi possono accedere (art. 148) e le competenze esclusive dello Stato (tra le quali le condizioni di eguaglianza dei cittadini, relazioni internazionali e difesa, amministrazione della giustizia, legislazione di base in materie di previdenza sociale, ambiente, miniere ed energia, stampa, radio, televisione e in generale mezzi di comunicazione sociale, pubblica sicurezza), precisando che quanto non espressamente attribuito ad esso, può competere alle comunità se recepito nei loro statuti (art. 149). Al tempo stesso, la competenza in materie non inserite negli statuti, rimane allo Stato. Questo potrà trasferire alle comunità, mediante Legge organica (gerarchicamente superiore alle leggi ordinarie) materie di propria competenza, riservandosi forme di controllo. Sempre in materie di propria competenza potrà attribuire, a tutte o ad alcune comunità, la facoltà di emanare norme legislative, all'interno dei principi fissati da leggi-quadro. La Costituzione, infine, consente allo Stato di emanare leggi organiche per armonizzare disposizioni normative delle comunità medesime.

La norma generale prevedeva la possibilità di accedere in un primo tempo alle competenze di cui all'articolo 148, e, quindi, la possibilità di ampliare le competenze nell'ambito stabilito dall'articolo 149 solo dopo cinque anni. L'articolo 151, però, prefigurava una strada più veloce per l'ottenimento delle competenze, con la possibilità di accedere immediatamente alle competenze residue (art. 149) nei casi in cui la costituzione in comunità avesse ottenuto anche l'approvazione, mediante referendum, della maggioranza degli elettori d'ogni provincia. Le regioni *storiche*, Catalogna, Paesi Baschi e Galizia, insieme all'Andalusia hanno utilizzato questa seconda via. Costituitesi per prime in comunità autonome (tra il 1979 e il 1981), queste regioni hanno subito ottenuto importanti competenze, in particolare in materia linguistico-culturale. Già nel 1983, comunque, tutte le province spagnole erano organizzate in diciassette comunità autonome; alcune formate da più province, altre da una sola.

Dagli anni Ottanta fino ad oggi il processo di federalizzazione, riguardante principalmente l'attribuzione ad esse di sempre nuove competenze, è stato contrassegnato da una serie di accordi tra le forze politiche e tra il governo centrale e quelli delle comunità. Con l'«Accordo autonomico» del 1981 tra L'Unione del centro democratico al governo e l'opposizione socialista, fu perseguito l'obiettivo di *armonizzare* il processo di decentramento. La Legge organica che ne seguì (*Ley orgánica de armonización del proceso autonómico*, Loapa) fu annullata dal Tribunale costituzionale in alcune parti ritenute incostituzionali, in quanto tentavano di ridurre poteri già negoziati e ratificati negli statuti delle comunità autonome, nonché di sottoporre la legislazione delle medesime all'approvazione delle *Cortes*. La sentenza del Tribunale ha svolto un ruolo importante per l'affermazione del diritto all'autogoverno delle comunità. Al tempo stesso gli articoli della legge del 1981 sopravvissuti alla sentenza della Corte hanno accelerato il processo di autonomia delle regioni non-storiche, e imposto alcuni elementi di omogeneità (forma parlamentare, sfiducia costruttiva, scadenze elettorali, durata della legislatura, ecc.) nei loro assetti istituzionali. Significativo per il trasferimento di nuove competenze alle regioni non-storiche, anche il *Pacto autonómico* del 1992 tra Partito socialista (al governo dal 1982) e Partito popolare. Nel 1996 con i Patti di governabilità negoziati tra il governo di Aznár (Partito popolare) e i partiti nazionalisti basco, catalano e canario (al governo nelle rispettive comunità), accanto a concessioni particolaristiche alle comunità rappresentate dai tre partiti nazionalisti, sono state previste riforme per tutte le comunità del paese, che riguardano, in particolare, le loro competenze finanziarie e fiscali e la loro partecipazione al Consiglio dei ministri dell'Unione europea.

Un nuovo sistema federale?

L'assetto del sistema che emerge dal lungo processo di federalizzazione, è fortemente asimmetrico, nonostante gli sforzi d'omogeneizzazione attuati dal centro, in particolare con leggi organiche, che hanno, comunque, consentito la creazione di un sistema di autonomie su tutto il territorio – e non solo nelle regioni storiche – dal punto di vista istituzionale sostanzialmente omogeneo. La natura asimmetrica del nuovo assetto, poggia innanzitutto sulla situazione storico-politica alla base del processo dal quale è emerso: le rivendicazioni di autonomia, se non di autodeterminazione, di alcune regioni del paese. Tale asimmetria si è subito manifestata con la creazione, all'inizio del processo, di comunità con competenze ordinarie (quelle comprese nell'articolo 148) e comunità con competenze elevate (le comunità storiche che hanno potuto accedere subito alle competenze previste dall'articolo 149). Con gli accordi successivi, in particolare quelli del 1981, 1992 e 1996, le competenze delle comunità ordinarie sono state ampliate nello sforzo di raggiungere il livello di quelle delle comunità storiche. Importanti asimmetrie, comunque, permangono, in virtù del fatto che l'inserimento di nuove competenze negli statuti delle comunità passa necessariamente attraverso accordi bilaterali, tra il governo e le singole comunità, una strada chiaramente preferita dalle comunità storiche, che hanno sempre cercato di marcare la loro specificità all'interno del più generale assetto decentrato.

Alcune comunità possiedono a tutt'oggi maggiori competenze, in particolare nell'ambito dell'istruzione e della sanità (generalizzate sono, invece, competenze in materie quali agricoltura, trasporti, ambiente, beni culturali, assistenza sociale, sport e turismo, organizzazione delle istituzioni di autogoverno, enti locali). Inoltre, i Paesi Baschi e la Navarra sono le uniche province a godere di un regime d'imposizione fiscale autonomo. Per le altre comunità permane un sistema di finanziamento mediante redistribuzione delle risorse dal centro, anche se con i successivi accordi del 1992 e del 1996 l'ammontare dei finanziamenti è aumentato considerevolmente e alcuni limitati poteri d'imposizione fiscale sono stati trasferiti anche alle altre comunità. Nei Paesi Baschi, inoltre, sono state trasferite importanti competenze in materia di sicurezza, che hanno consentito la creazione di un corpo di polizia autonomo. Anche il Patto del 1996, accanto a misure generali per tutte le comunità, ha previsto una serie di competenze speciali per le comunità direttamente coinvolte nell'accordo.

Particolari trasferimenti di competenza riguardano anche la questione linguistica: accanto all'uso del castigliano, utilizzato come lingua ufficiale in tutto il territorio, il catalano, il galiziano, l'Euskera (la lingua basca), il valenziano e la lingua di Majorca sono considerate lingue co-ufficiali nelle relative comunità.

L'attribuzione della qualifica di federale al nuovo assetto istituzionale spagnolo, non trova in letteratura consenso unanime. Quanti contestano il fatto che ci si trovi di fronte ad un vero e proprio federalismo sottolineano alcuni elementi che allontano l'assetto spagnolo dai federalismi classici. Innanzitutto il fatto che il governo centrale mantenga un controllo sulle attività delle comunità autonome nell'ambito delle competenze delegate e concorrenti, accanto alla più generale facoltà di emanare leggi, anche in materia di competenza delle comunità, «quando lo esiga l'interesse generale». In secondo luogo, l'assenza di un vero e proprio federalismo fiscale, con l'eccezione di Paesi Baschi e Navarra. Inoltre, non esiste, nel sistema istituzionale spagnolo, una camera federale che rappresenti le diverse comunità autonome. La Costituzione, infatti, prevede che il senato sia composto solo da un numero limitato di rappresentanti delle comunità (1/5 sul totale). Esso, inoltre, ha limitati poteri costituzionali e, in campo legislativo, solo un debole potere di veto.

È importante rilevare, infine, come il processo di federalizzazione, se così lo possiamo chiamare, non abbia messo in crisi (come, forse, è avvenuto in Belgio) l'identità nazionale. Numerosi sondaggi, infatti, rilevano come il senso d'appartenenza alla nazione spagnola sia diffuso nella popolazione dell'intero territorio, e come nelle regioni dove più forte sono i sentimenti di appartenenza ad un nazionalismo periferico, dominante è la presenza di una duplice identificazione, con la Spagna e con la propria comunità.

7. ...e l'Italia?

A differenza della Germania, l'Italia realizzò l'unificazione con la creazione di uno Stato unitario e accentrato. Infatti, nonostante non fossero mancate nel dibattito ottocentesco le proposte per la realizzazione dell'unità d'Italia attraverso la federazione, da quella neoguelfa di Gioberti (l'ipotesi, cioè, di una federazione tra i regni della penisola con la guida del pontefice), a quella liberale e repubblicana di Cattaneo, la soluzione unitaria e centralizzata ebbe la meglio. Migliore fortuna non ebbe l'idea regionale, propugnata, ad esempio, da Giuseppe Mazzini, ed anche tradotta da Farini e Minghetti in proposte di legge, poi accolte dal Consiglio dei ministri, presieduto dal Cavour, nel marzo 1861. Il progetto incontrò la resistenza del parlamento, che con la legge del 1865 optò per l'estensione del modello centralizzato piemontese, riconoscendo quali livelli amministrativi inferiori allo Stato solo province e comuni.

Voci significative a favore del regionalismo si levarono tra Otto e Novecento, ad esempio con Gaetano Salvemini e, nel primo dopoguerra, con Luigi Sturzo e il Partito popolare. Ma è solo dopo il secondo conflitto mondiale, e la fine del rigido centralismo attuato durante il ventennio fascista, che la questione regionale entrò nuovamente nell'agenda politica.

All'Assemblea costituente, l'ipotesi di un vero e proprio federalismo fu subito scartata, per il timore che esso avrebbe potuto compromettere l'unità nazionale, ma anche, in realtà, per la reciproca diffidenza dei partiti dell'epoca. Una diffidenza che avrebbe influenzato anche la soluzione regionalista, adottata dall'Assemblea costituente, ma in una forma che avrebbe pregiudicato gli sviluppi futuri. Come scrisse Giuseppe Maranini, «si temeva in modo particolare che la lotta politica, o meglio la guerra civile già delineatasi fra le forze legate allo stalinismo e i partiti che almeno a parole si dichiaravano leali alla Costituzione e ai suoi valori liberali, inducesse gli avversi schieramenti a considerare le regioni come baluardi nei quali arroccarsi». Questo era il timore di socialisti e comunisti in una prima fase dei lavori (prima, cioè, della loro estromissione dal governo – 1947), quando manifestarono la loro diffidenza nei confronti della regione e la ferma volontà di non attribuire ad essa una vera autonomia politica; una volta fuori dal governo i due partiti della sinistra, in particolare il Partito comunista, sentirono – invece – l'esigenza di garantirsi a livello locale con l'istituzione di forti autonomie regionali. La Democrazia cristiana, che fino ad allora aveva sostenuto con decisione l'attuazione di un ordinamento regionale, cominciò a vedere l'opportunità di attenuare le sue posizioni. Ma, poiché, come ha notato Ettore Rotelli, «chi aveva propugnato per mesi il regionalismo non poteva dichiararsi all'improvviso antiregionalista, la regione passò. Ma passò male».

Passò male, innanzitutto, perché l'autonomia legislativa riconosciuta alle regioni con l'articolo 117, fu, in realtà, notevolmente compressa. Con la Costituzione del 1948, fu sancito come principio fondamentale l'autonomia locale (accanto a quello dell'unità e indivisibilità della Repubblica), e riconosciuta l'esistenza delle regioni, cinque a statuto speciale, con ampie sfere di autonomia legislativa e amministrativa – esclusiva e concorrente –, quindici ordinarie, anch'esse con potestà legislativa e amministrativa, ma di minore rilevanza. Alle regioni ordinarie, infatti, fu riconosciuta soltanto una potestà legislativa concorrente («nei limiti dei principi fondamentali stabiliti dalle leggi dello Stato»), e subordinata a quella statale. Le leggi emanate dalle regioni (i cui organi sono identificati in un Consiglio regionale, elettivo, e in una Giunta con il suo presidente) riguardano, inoltre, ambiti rigidamente determinati (art. 117) e sono sottoposte non solo ad un controllo di costituzionalità, bensì anche di merito da parte del governo e, in seconda istanza, del parlamento nazionale.

Passò male, inoltre, poiché l'attuazione del dettato costituzionale fu rinviata a leggi successive. «La Costituente – è ancora Maranini che parla – si limitò ad affermare nella nuova carta il decentramento e le autonomie locali e specificamente le autonomie regionali, senza però conferire a tutto questo sostanza immediata di realtà. Avrebbe dovuto provvedere a suo tempo – si sperava – il legislatore ordinario a sciogliere i nodi che la Costituente non si era sentita di sciogliere».

Gli anni successivi furono caratterizzati, come ha notato Vandelli, da un clima di complessiva sfiducia e disattenzione per la questione regionale; in un contesto ove il pluralismo proprio della democrazia era identificato essenzialmente nella pluralità dei partiti e nel parlamentarismo, e non nell'esistenza di un pluralismo istituzionale. Ma, anche, da una resistenza politica alla traduzione legislativa del dettato costituzionale, in particolare da parte della Democrazia cristiana, dal 1948 fulcro di tutti i governi, che, come ha notato Robert Putnam, aveva buone ragioni di temere che numerose regioni centro-settentrionali sarebbero finite sotto il controllo del Partito comunista.

Le disposizioni costituzionali in materia regionale rimasero, così, inattuate sino alla fine degli anni Sessanta, quando si apre una *fase costituente* delle regioni ordinarie (gli statuti delle regioni a statuto speciale erano già stati approvati nel 1948, a parte quello del Friuli Venezia Giulia, approvato nel 1963), con le prime elezioni dei Consigli regionali nel 1970, l'approvazione degli statuti tra il maggio e il luglio 1971 e l'emanazione dei decreti di trasferimento delle funzioni nel gennaio 1972. Le resistenze nei confronti dell'istituto regionale continuarono, comunque, a manifestarsi anche in questa fase. I decreti del 1972, ad esempio, furono elaborati basandosi su di un'interpretazione estremamente restrittiva delle materie spettanti alle regioni, tanto che dopo lunghi dibattiti e polemiche si giunse all'approvazione della legge 382 del 1975 e al conseguente decreto delegato n. 616 del 1977, con cui fu realizzato un più deciso trasferimento di funzioni legislative e amministrative dallo Stato alle regioni.

All'attuazione delle regioni e, in particolare, alla legge e al decreto del 1975 e 1977, non fu estranea l'ascesa del Partito comunista, interessato ad un maggior decentramento regionale, e la sua partecipazione esterna ai governi d'unità nazionale guidati da Giulio Andreotti a partire dal 1976. A ciò bisogna aggiungere la capacità dei neonati governi regionali di esercitare forti pressioni sul centro e di creare le condizioni politiche per un ulteriore decentramento.

Nel complesso, però, l'esperienza regionale appare – pur se diversificata al suo interno – abbastanza deludente; l'attuazione delle regioni, è stato osservato, è avvenuta accentuando il sistema dei limiti dell'autonomia, piuttosto che non le sue potenzialità, con il risultato che il sistema unitario e accentrato tradizionale non ha subìto alcuna radicale trasformazione. A ciò si può aggiungere un'insoddisfacente prestazione degli enti regionali. Se, infatti, è, da un lato, possibile riscontrare l'affermazione di un vero e proprio sistema politico regionale autonomo, impegnato a prendere decisioni autentiche e punto di riferimento delle forze sociali regionali, è, dall'altro lato, pressoché unanimemente riconosciuto lo scarso rendimento amministrativo degli enti regionali, in molti casi, come ha scritto Putnam «un misto kafkiano di caos e inerzia».

Un decennio di riforme

Alla fine degli anni Ottanta, le richieste per un effettivo decentramento e un regionalismo funzionante cominciano a farsi più pressanti.

Esse prendono corpo a fronte delle gravi deficienze del funzionamento della Repubblica nel suo complesso e di una pubblica amministrazione le cui debolezze rendono incapace di gestire il carico di compiti attribuiti allo Stato; ma anche di un insoddisfacente funzionamento delle stesse regioni. Non va, inoltre, dimenticato che la reintroduzione del problema della riforma dello Stato nell'agenda politica, è legato in buona parte al sorgere di movimenti regionalisti nell'Italia del Nord (Liga veneta, Lega lombarda, Lega nord), che riscuotono a partire dagli anni Novanta un significativo consenso elettorale. Incarnato ormai in prevalenza nella Lega nord, il movimento leghista ha alternato a richieste di un più spinto regionalismo e di un vero e proprio federalismo, la minaccia – per lo meno in alcune fasi della sua vicenda – della secessione, il tutto in una prospettiva di contrapposizione al centro romano e di rivendicazione, come ha scritto Umberto Allegretti, d'autogoverno per la parte più produttiva d'Italia.

A partire dagli anni Novanta, queste diverse istanze hanno prodotto una serie di risposte, anche se non un organico disegno di riforma. Il percorso si apre con la legge 142 del 1990, con la quale viene riformato l'ordinamento delle autonomie locali, e parte il lento cammino verso il decentramento dei poteri e delle funzioni. Nel 1993 (l. 25 marzo 1993, n. 81) è introdotta l'elezione diretta dei sindaci e dei presidenti delle province (contestualmente alle nuove norme per l'elezione dei Consigli provinciali e comunali). L'idea di fondo di queste misure, appare quella di accompagnare il passaggio delle funzioni dal centro alla periferia con il rafforzamento delle figure che devono guidare i governi locali. Un'idea alla base anche della riforma introdotta con la legge costituzionale del 22 novembre 1999, n. 1, che sancisce l'autonomia statutaria delle regioni e introduce l'elezione diretta dei presidenti delle regioni. Questa legge, infatti, come ha notato Roberto Galullo, è nata dall'esigenza di dare maggior forza alle regioni, che parevano schiacciate tra il potere dei sindaci (dal 1993 eletti direttamente) e quello dello Stato centrale, e che, al tempo stesso, erano state investite da ampie funzioni dalla legge Bassanini.

Con la legge-delega approvata durante il governo Prodi (l. 15 marzo 1997, n. 59), la c.d. legge Bassanini, e il successivo decreto legislativo del marzo 1998, si apre, infatti, una *via amministrativa* al federalismo. Vengono previsti trasferimenti dal centro alle regioni e agli enti locali «di tutte le funzioni e i compiti amministrativi relativi alla cura degli interessi e alla promozione dello sviluppo delle rispettive comunità, nonché tutte le funzioni e i compiti amministrativi localizzabili nei rispettivi territori in atto esercitati da qualunque organo o amministrazione dello Stato, centrali o periferici, ovvero tramite enti o altri soggetti pubblici» (l. n. 59, art. 1), escluse una serie di materie, che rimangono di competenza dello Stato, elencate nella medesima legge. La valutazione dei risultati del processo messo in moto con la legge Bassanini del 1997 è controversa, ma di quell'esperienza sono stati messi in luce molti limiti: dalla stessa ambiguità dei decreti attuativi (che se da un lato hanno introdotto importanti innovazioni nella disciplina di alcuni settori, dall'altro hanno essi stessi adottato la tecnica del rinvio) alla resistenza della pubblica amministrazione, all'immobilismo delle regioni.

Da più parti, è stata sovente sottolineata la necessità di dare una copertura costituzionale a questa serie di riforme; in quella direzione si è orientata la modifica del titolo V della Costituzione. Dopo il fallimento della Commissione bicamerale presieduta da Massimo D'Alema, e dunque dei progetti di riforma istituzionale da essa elaborati, compreso quello relativo all'ordinamento dello Stato in senso federale, nel 1999 il governo presieduto dallo stesso D'Alema ha sottoposto al parlamento un progetto di riforma costituzionale sull'ordinamento federale della Repubblica (i cui contenuti riprendono in gran parte l'elaborato della Commissione bicamerale). Approvata all'inizio del 2001 (durante il governo Amato) con i voti della sola maggioranza di centro-sinistra (uscita, poi, sconfitta dalle elezioni della primavera dello stesso anno), la riforma è stata successivamente sottoposta a un referendum costituzionale che, tenutosi il 7 ottobre, ha dato esito positivo.

Le innovazioni sono rilevanti. Secondo il nuovo testo costituzionale, la Repubblica non «si riparte» più in regioni, province e comuni, ma sono gli enti autonomi, insieme allo Stato, a *costituire* la Repubblica.

Il criterio delle competenze legislative è invertito, poiché ora è alle regioni che sono attribuiti i poteri residui (come avviene solitamente nei sistemi federali classici), mentre i poteri dello Stato sono esplicitamente elencati. Inoltre, la legislazione regionale è stata posta su un piano di parità con quella statale, laddove si afferma che «la potestà legislativa è esercitata dallo Stato e dalle regioni nel rispetto della Costituzione»; essa è esercitata in via esclusiva dalle regioni per quanto concerne la materie residue, e in concorrenza con lo Stato, che deve fissare i principi fondamentali, nelle materie espressamente indicate come proprie della legislazione concorrente. Le leggi regionali non sono più sottoposte al controllo del governo che, nel caso in cui ritenga che una legge regionale sia contraria alla Costituzione, non ha altro strumento che l'impugnazione della stessa davanti alla Corte costituzionale.

Le funzioni amministrative sono affidate ai comuni, fatto salvo l'intervento di città metropolitane, province e regioni se si rende necessario assicurare l'esercizio unitario di tali funzioni, secondo il *principio di sussidiarietà*; quel principio che prevede che le funzioni siano attribuite al livello più basso possibile, ma riconosce, al tempo stesso, se necessario, l'intervento di quelli superiori in un ruolo d'integrazione.

Più marcata è anche l'autonomia finanziaria riservata alle regioni (ora anche estesa agli altri enti locali). Alle autonomie locali non sono più, semplicemente, «attribuiti tributi propri e quote di tributi erariali», bensì esse «hanno risorse autonome» e «stabiliscono e applicano tributi ed entrate proprie», oltre a disporre «di compartecipazione al gettito di tributi erariali riferibili al loro territorio».

Rispetto alle esperienze federali consolidate, questo disegno mostra un evidente limite: non è prevista alcuna rappresentanza delle regioni a livello parlamentare, attraverso una camera alta. L'assenza di un senato delle regioni non sembra possa essere bilanciata dalla previsione dell'integrazione della Commissione parlamentare per le questioni regionali, con rappresentanti di regioni, province ed enti locali, quando sono in discussione le leggi-delega di cui all'articolo 117. Tanto più che la costituzione di tale Commissione (prevista da una norma transitoria, in attesa della riforma del senato) è rimandata ai regolamenti di camera e senato, dei quali non vi è ancora traccia.

Ancora una volta, però, le preoccupazioni maggiori riguardano l'attuazione del dettato costituzionale. Come notava recentemente l'ex ministro della Funzione pubblica Franco Bassanini, a cinque mesi dal referendum del 7 ottobre 2001, la modifica del titolo V della Costituzione «rimane ancora in mezzo al guado»: «il parlamento continua a legiferare come se niente fosse», mentre il governo «sta approvando una serie di regolamenti su materie riservate alle regioni».

Le questioni aperte sono numerose. Tra queste il problema delle leggi-quadro. Il terzo comma del nuovo articolo 117 precisa che, nelle materie relative alla legislazione concorrente, le regioni hanno la potestà legislativa, «salvo che per la determinazione dei principi fondamentali, riservata alla legislazione dello Stato». Come notava in un'audizione al senato nel dicembre 2001 il governatore della Banca d'Italia Antonio Fazio, il problema è quello di chiarire se le regioni possano esercitare la loro potestà anche in assenza di leggi-quadro in materia, desumendo i principi fondamentali dalla legislazione vigente (come ha sostenuto la Conferenza delle regioni, che ha ritenuto inaccettabile che l'attività delle regioni sia ostacolata dall'eventuale inerzia del legislatore statale), oppure no. Un'altra questione di rilievo è quella dell'autonomia impositiva, affermata in termini generali nelle nuove norme costituzionali; è sempre Fazio che sottolinea la necessità di «definire chiaramente le responsabilità di ciascun livello di governo, in maniera da poter determinare con certezza i mezzi necessari». Queste ed altre questioni non affrontate con la riforma costituzionale mettono un'ipoteca sugli effetti che questa avrà sul concreto funzionamento del nostro ordinamento; un passo significativo verso la sua trasformazione in senso federale – pur con numerosi limiti – è stato compiuto, quali saranno i successivi passaggi non è ancora chiaro, tanto più che una maggioranza di governo diversa da quella che ha approvato la riforma si trova oggi a doverla gestire.

8. ...e l'Europa?

Il federalismo europeo

Se l'idea di una federazione europea si trova per la prima volta nel Settecento nell'utopia dell'abate di Saint Pierre, di un libero contratto tra sovrani europei, cruciale per lo sviluppo del pensiero federalista europeo fu il contributo di alcuni dei protagonisti del Risorgimento italiano: Mazzini, Gioberti e Cattaneo. È in quest'ultimo che troviamo l'elaborazione più rigorosa dell'idea di una federazione tra stati europei, gli *Stati Uniti d'Europa*, con la quale sarebbe stato possibile superare il principio della sovranità statale e quindi l'anarchia delle relazioni internazionali e stabilire la pace in Europa: «Avremo vera pace quando avremo gli Stati Uniti d'Europa».

La teorizzazione degli Stati Uniti d'Europa la ritroviamo, sempre nel XIX secolo, nell'opera dell'inglese John R. Seeley. Anche in questo caso, la ricerca della pace si sposa con il modello costituzionale dello Stato federale. L'opera di Seeley avrà grande influenza nel pensiero federalista inglese degli anni Venti e Trenta, a sua volta importante per lo sviluppo del federalismo europeo nell'Italia del dopoguerra. Anche nei federalisti inglesi di quegli anni, il punto di partenza è la riflessione sulla guerra e sulla pace, e l'unico strumento per realizzare quest'ultima è quello di una federazione sovranazionale che garantisca l'istituzionalizzazione dei conflitti tra stati e la loro soluzione per via giuridica. Questa prospettiva si tradurrà in veri e propri progetti di federalismo europeo negli anni immediatamente precedenti il secondo conflitto mondiale, con la pubblicazione dell'opuscolo di Clarence K. Streit, *Union Now*, e la creazione del movimento Federal Union nel 1938.

Il dibattito europeista e federalista riprende all'interno dei movimenti di resistenza al nazismo e al fascismo in paesi come l'Olanda, la Francia, la Germania e, in particolare, l'Italia. La più compiuta posizione federalista ed europeista è senza dubbio quella degli autori del *Manifesto di Ventotene* (1943) Altiero Spinelli, Ernesto Rossi ed Eugenio Colorni, e di Luigi Einaudi, che costituì il tramite per la conoscenza nel nostro paese della letteratura federalista anglosassone.

La tesi principale del *Manifesto* è che la permanenza stessa dello Stato nazionale costituisce una costante minaccia per la pace internazionale, poiché il fine dello Stato è l'espansione, e lo strumento più efficace per ottenerla è la guerra: «il problema che in primo luogo va risolto [...] è la definitiva abolizione della divisione dell'Europa in stati nazionali sovrani [...]. Un'Europa libera e unita è premessa necessaria del potenziamento della civiltà moderna, di cui l'era totalitaria rappresenta un arresto [...]. Nel prossimo quindicennio, la questione prima per gli europei sarà non come organizzare i loro rispettivi paesi, ma come organizzare la convivenza pacifica e civile sul continente».

I federalisti, e con essi Spinelli, avevano come obiettivo primario la creazione di una federazione europea, basata su una *Carta costituzionale*. Diversa, anche se non necessariamente inconciliabile, era la prospettiva funzionalista, proposta dal francese Jean Monnet negli anni Cinquanta. Proprio questa corrente porterà alla nascita della Comunità europea. La soluzione federalista, infatti, si sarebbe rivelata impraticabile a causa delle resistenze dei singoli poteri statali. Funzionalisti come Monnet e il ministro degli Esteri francese

Schuman, ritennero di poter aggirare gradualmente l'ostacolo mediante la creazione d'organizzazioni comunitarie e di
coordinamento intergovernativo in settori economici strate-
gici, che, a loro volta, con la loro azione avrebbero spinto
verso il passaggio ad un'unione costituzionale e politica,
meta sia dei federalisti, sia dei funzionalisti.

Le tappe dell'integrazione europea

Fu il Piano Marshall a dare l'avvio alle prime forme di
cooperazione economica europea; la concessione degli aiuti
economici ai paesi dell'Europa occidentale fu, infatti, condizionata dagli Stati Uniti alla creazione di una struttura cooperativa per coordinare la ricostruzione e la distribuzione
degli aiuti. L'Organizzazione europea di cooperazione economica (Oece) nacque a Parigi il 16 aprile 1948, con la
partecipazione di diciassette paesi. Dotata di poteri insuffi-
cienti, essa – come ha notato la storica Laschi – vide fallire
i suoi tentativi di regolamentazione dei mercati europei,
anche a causa delle resistenze nazionali.

L'anno successivo sorgeva il Consiglio d'Europa, una
debole istituzione, senza poteri d'intervento e sotto lo stretto
controllo dei governi, che funse essenzialmente come luogo
di dibattito e organo di consultazione; ben diversa dall'Assemblea costituente europea eletta a suffragio universale
che avrebbero voluto i federalisti.

A questa prima fase, doveva seguire un più fecondo
periodo, quello degli approcci di settore. Esso si aprì con il
piano Schuman, elaborato da Monnet, per la creazione di un
mercato unico per il carbone e l'acciaio, e la successiva
nascita della Comunità europea del carbone e dell'acciaio
(Ceca) nel 1950. La creazione di questa prima *comunità*, è
strettamente legata al problema, posto allora da Stati Uniti e
Gran Bretagna sotto la pressione della guerra fredda, della

restituzione alla Germania occidentale della sua piena sovranità economica e militare. Come ha rilevato Lucio Levi, di fronte alla prospettiva della rinascita del nazionalismo e del militarismo tedeschi, i governi europei optarono per l'alternativa proposta da Monnet, di sottoporre a un'autorità europea i due tradizionali pilastri della potenza della Germania: l'industria carbo-siderurgica e l'esercito.

Alla Ceca aderirono la Francia, la Germania, l'Italia, l'Olanda, il Belgio e il Lussemburgo; nasceva l'Europa a sei. Fallimentare fu, invece, il tentativo di costruire la Comunità europea di difesa (Ced). Proposta dal ministro francese Pleven, in risposta alla richiesta di riarmo della Germania, essa non vide la luce, dopo la firma a Parigi nel maggio del 1952 del Trattato istitutivo, per la mancata ratifica da parte dell'Assemblea nazionale francese.

Dopo il fallimento della Ced, Monnet (presidente della Ceca dal 1952 al 1957) propose la creazione di un'unione doganale che portasse gradualmente ad un'integrazione economica e, in un secondo tempo, politica. Dopo lunghi negoziati tra i sei paesi, e l'impressione che, nel 1956, avevano suscitato la crisi di Suez e l'invasione sovietica dell'Ungheria, il 25 marzo 1957 con i Trattati di Roma nascevano, finalmente, la Comunità economica europea (Cee) e la Comunità europea per l'energia atomica (Euratom); aveva così inizio la storia dell'Europa unita.

Nel suo Trattato istitutivo la Cee si proponeva tre obiettivi principali: la creazione di un'unione doganale per abolire i dazi interni ai sei paesi e creare una cintura di dazi comuni verso il resto del mondo; l'abolizione degli ostacoli alla libera circolazione di persone, merci, capitali e servizi; l'armonizzazione delle politiche economiche, sociali e fiscali per giungere gradualmente a politiche economiche comuni. Il Trattato prevedeva anche l'istituzione di un Consiglio dei ministri (dove sedevano i rappresentanti dei rispettivi governi), al quale competevano le decisioni principali; una Commissione, con potere esecutivo, pensata come una vera e propria autorità transnazionale; un'Assemblea parlamentare, con limitati poteri di controllo; una Corte di giustizia, con il compito principale di assicurare il controllo dei trattati e amministrare il diritto comunitario.

Difficile e conflittuale fu il percorso d'attuazione nei due decenni successivi. Da un punto di vista istituzionale, significativi furono la fusione degli esecutivi delle tre Comunità (Ceca, Cee, Euratom) in un'unica Commissione nel 1965, e la riunione tenuta dai capi di governo francese, britannico, tedesco e italiano nel 1974. In quell'occasione furono prese importanti decisioni: l'elezione del Parlamento europeo a suffragio universale dal 1978; l'istituzionalizzazione della prassi delle conferenze al vertice, tra capi di stato e di governo (Consiglio europeo), da tenersi almeno tre volte l'anno.

Nel frattempo, la Comunità si era allargata. Il 1° gennaio 1973 erano entrati la Gran Bretagna (dopo la caduta del veto francese, dopo il ritiro dalla politica di De Gaulle nel 1969), l'Irlanda e la Danimarca. Nella seconda metà degli anni Settanta si pose il problema dell'allargamento della Comunità ai tre paesi dell'Europa meridionale, appena tornati alla democrazia; la Grecia divenne membro della Comunità nel 1981, Spagna e Portogallo nel 1986. Nel 1995, l'adesione di Austria, Finlandia e Svezia ha portato l'unione a quindici membri.

A partire dagli anni Ottanta, furono avviate una serie di iniziative, che videro protagonisti federalisti come Spinelli e il francese Jacques Delors (dal 1985 presidente della Commissione), e statisti come Mitterrand e Kohl, per una vera e propria riforma costituzionale. Convinto che il rilancio delle istituzioni comunitarie sarebbe stato possibile solo puntando sul grande mercato, Delors fissò la data di completamento del Mercato unico alla fine del 1992.

Due furono gli strumenti utilizzati a questo scopo: il

Libro bianco, un documento ove furono elaborate le proposte per l'abolizione delle frontiere alla libera circolazione dei capitali e affrontati problemi quali le barriere tecniche e fiscali e l'esistenza di un libero scambio più apparente che reale; l'*Atto unico europeo*, un nuovo trattato che scaturiva dalle conclusioni del Consiglio europeo del 2-3 dicembre (ed entrato in vigore il 1° gennaio 1987), che avrebbe dovuto creare le condizioni per la realizzazione del Mercato unico. Esso prevedeva, oltre ad un ampliamento del campo d'azione della Comunità, alcuni importanti cambiamenti istituzionali: furono rafforzati i poteri del parlamento; al Consiglio europeo fu dato un riconoscimento giuridico; in seno al Consiglio dei ministri fu ampliato – rispetto al voto all'unanimità – il voto a maggioranza qualificata.

La tappa successiva fu rappresentata dalle due conferenze intergovernative sull'unione politica e sull'unione economica e monetaria, tenutesi a Roma nel dicembre 1990 e seguite dal Consiglio europeo di Maastricht del dicembre 1991, che portò, il 7 febbraio 1992, alla firma da parte dei dodici stati membri del trattato istitutivo dell'Unione europea, il Trattato di Maastricht, con il quale furono completati e modificati il Trattato di Roma e l'*Atto unico*. Tra i suoi obiettivi, l'instaurazione di un'Unione economica e monetaria; l'affermazione di un'identità europea sulla scena internazionale attraverso l'attuazione di una politica estera e della sicurezza comune (Pesc) e, in prospettiva di una difesa comune; l'istituzione di una cittadinanza europea; lo sviluppo di una stretta cooperazione nel settore della giustizia, civile e penale, e degli affari interni (Cgai – cooperazione giudiziaria e negli affari interni).

Gli anni successivi vedono una serie di decisioni di vertice per continuare l'integrazione monetaria e politica. Nel 1996 si apre a Torino una conferenza intergovernativa (prevista dal Trattato del 1992, per valutare i risultati raggiunti e proporre eventuali modifiche) che si conclude ad

Amsterdam e porta, nell'ottobre 1997, alla firma del Trattato di Amsterdam, con il quale si intende segnare, come recita lo stesso articolo 1, «una nuova tappa nel processo di creazione di un'unione sempre più stretta tra i popoli d'Europa, in cui le decisioni siano prese nel modo più trasparente possibile e il più vicino possibile ai cittadini».

Un sistema di governo federale?

Attualmente, le istituzioni più importanti dell'Unione europea sono la Commissione europea, il Consiglio europeo, il Consiglio dei ministri e il Parlamento europeo.

La *Commissione europea* è un organo collegiale composto da 19 commissari, ognuno responsabile per un settore specifico (ognuno dei cinque grandi stati ne designa due, gli altri uno), e un presidente. Essa condivide con il Consiglio dei ministri la funzione esecutiva; rappresenta la Comunità nei rapporti con altri stati, ha il potere di iniziativa legislativa, emana atti di esecuzione e vigila sulla corretta applicazione dei trattati e delle decisioni in base ad essi adottati, dispone di ampi poteri di attuazione delle politiche comuni di cui le è affidata la responsabilità finanziaria. Accanto al Parlamento europeo, costituisce il vero promotore della costruzione comunitaria. Con i Trattati di Maastricht e Amsterdam il legame tra Commissione e Parlamento è stato rafforzato e reso più simile al modello parlamentare: il Parlamento deve ora approvare il presidente e i membri della Commissione designati dai governi nazionali. Il Trattato di Amsterdam (in seguito al quale il presidente è stato sottoposto all'approvazione parlamentare) ha anche rafforzato il ruolo del presidente, attribuendogli la direzione e il controllo politico sul collegio e il potere di partecipare alla scelta dei commissari proposti dai vari governi.

Il *Consiglio europeo*, a differenza della Commissione, è

una tipica istituzione intergovernativa. Composto dai capi di stato e di governo e dal presidente della Commissione, si colloca al vertice della struttura di governo della Comunità. Esso agisce come guida politica dell'Unione, definendo gli orientamenti politici generali e dando gli impulsi politici fondamentali. Benché istituzione intergovernativa, il Consiglio europeo ha costituito un elemento propulsore del processo d'integrazione.

Il *Consiglio dei ministri* costituisce il principale centro decisionale del sistema di governo comunitario. Dall'originario Consiglio affari generali (Cag), composto dai ministri degli Esteri dei diversi paesi, si sono, in realtà, sviluppati tanti consigli quanti sono i settori di attività comunitaria, alcuni (oltre al Cag, al quale è rimasta la responsabilità generale di coordinamento e settoriale delle relazioni esterne, il Consiglio economico e finanza – Ecofin – e il Consiglio agricoltura) più importanti di altri. Esso detiene, in parte in collaborazione con il Parlamento europeo, il potere legislativo. Al suo interno sono previsti tre sistemi di voto, all'unanimità, a maggioranza qualificata e a maggioranza semplice. Quest'ultima è utilizzata principalmente per scopi procedurali, mentre l'unanimità è stata la regola sino al 1987: a partire dall'*Atto unico* e poi con i successivi Trattati di Maastricht e Amsterdam è stato esteso l'ambito di utilizzo della più agile procedura della maggioranza qualificata, anche se il potere di veto dei singoli governi mediante il ricorso al voto all'unanimità è stato mantenuto in diversi campi, oltre alla politica estera, agli affari interni e alle questioni costituzionali, anche nei settori della fiscalità e della cultura. Il Trattato di Amsterdam ha introdotto anche un importante elemento di flessibilità, consentendo ad una maggioranza di paesi, nel caso vi sia l'opposizione di altri ad ulteriori forme di cooperazione, di instaurare tra loro una cooperazione rafforzata facendo ricorso alle istituzioni, alle procedure e ai meccanismi previsti dai trattati.

Al *Parlamento europeo* è affidata la rappresentanza dei popoli europei nel sistema comunitario. Dal 1979 è eletto a suffragio universale diretto – unica istituzione europea ad avere una tale legittimazione – per un periodo di cinque anni. I suoi poteri, inizialmente limitati, hanno subito un progressivo ampliamento, in particolare con l'*Atto unico* del 1987 e i Trattati del 1992 e 1997. Oltre ai poteri rispetto alla Commissione (oltre al voto per l'insediamento della Commissione, esiste anche la possibilità di revocarla con una mozione di sfiducia votata con maggioranza dei 2/3), gli sono stati conferiti anche poteri colegislativi da esercitare congiuntamente con il Consiglio dei ministri. Come ha osservato Sandro Gozi, la relazione tra le due istituzioni, costrette a cooperare per legiferare, non è esente da tensioni, a causa della «reciproca diffidenza tra un parlamento che si considera il guardiano dell'ortodossia comunitaria [...] e un Consiglio fortemente condizionato da spinte intergovernative».

Che tipo di sistema di governo è questo «sistema politico non identificato» (secondo le parole di Delors), che chiamiamo Unione europea?

È ancora Gozi che nota come, se, da un lato, il sistema comunitario trova le sue origini nel sistema di diritto internazionale, vale a dire nei trattati istitutivi delle Comunità europee, dall'altro, le attività delle istituzioni e la giurisprudenza della Corte di giustizia, ne hanno permesso la trasformazione in un sistema giuridico nuovo, con caratteristiche quali il trasferimento definitivo di competenze esclusive alla Comunità, con la rinuncia al loro esercizio da parte degli stati, la creazione di diritto comunitario direttamente vincolante per i cittadini degli stati membri e la personalità giuridica internazionale che consente alla Comunità di svolgere attività diplomatica sulla scena internazionale. E così, anche se gli stati nazionali rimangono i decisori chiave, l'Unione europea se non risulta esser un vero e proprio sistema federale, nemmeno è una semplice confederazione di stati, in quanto il diritto comunitario possiede alcuni caratteri del diritto federale e sono previste istituzioni sovranazionali come il Parlamento europeo, o transnazionali come la Commissione.

In letteratura, anche se sul punto il consenso non è unanime, il processo d'integrazione viene, effettivamente, spesso interpretato come un processo di federalizzazione, che ha fatto un salto di qualità dopo l'*Atto unico* e i Trattati di Maastricht e Amsterdam. Così, ad esempio, David McKay definisce l'Unione europea un sistema «quasi federale», o «un ibrido tra federazione e confederazione», dove caratteri tipicamente federali come l'esistenza di due livelli di governo e una duplice cittadinanza (comunitaria e statale), coesistono con l'assenza di una politica di difesa comune e un potere legislativo ancora prevalentemente nelle mani degli stati membri. Analogamente, Fritz Sharpf colloca l'unione a metà strada tra federazione e confederazione, più che una mera alleanza, ma non ancora un sistema politico con un proprio governo democraticamente legittimato. Addirittura vi è chi, come Joachim Hesse e Vincent Wright, è giunto ad affermare che «sebbene temuto da alcuni e negato da altri, l'unione politica, a causa della sua logica sottostante, quasi certamente condurrà verso uno Stato federale europeo».

Il ricorso all'esperienza federale, e, in particolare, all'idea del processo di federalizzazione (così come elaborata da Friedrich) per interpretare l'esperienza europea in corso, ha condizionato la riflessione, normativa, sul da farsi. L'accento è stato posto sui passaggi necessari per giungere ad un vero e proprio sistema federale, con, ad esempio, il rafforzamento del Parlamento europeo e la sua trasformazione in un vero e proprio organo legislativo, l'affermazione della Commissione come il potere esecutivo del sistema, la trasformazione di un'istituzione intergovernativa come il Consiglio dei ministri in una camera alta federale, sul modello del *Bundesrat*. Al tempo stesso, la presenza delle diversità nazionali ha spostato la riflessione sugli strumenti necessari per evitare che l'integrazione europea costituisca l'occasione per soffocarle: diversi autori, dal citato McKay al noto politologo francese Jean Blondel, hanno indicato la struttura federale svizzera, estremamente decentrata, come la soluzione per la convivenza di quelle diversità all'interno di un'unione federale.

Il cammino verso una federazione non pare, però, semplice, e, forse, nemmeno scontato. Più ci si avvicina ad una maggiore integrazione, più forti divengono le resistenze nazionali. Resistenze che producono risposte come l'inserimento del principio di sussidiarietà nel Trattato di Maastricht, a garanzia dell'autonomia degli stati nazionali, o del meccanismo di *flessibilità* (prima citato) in quello di Amsterdam, per consentire nuove forme di collaborazione anche senza la partecipazione di tutti gli stati membri. Questi, ed altri, meccanismi, pensati per bilanciare il processo di integrazione con le resistenze nazionali, insieme al futuro, ormai prossimo, allargamento all'Europa orientale, con tutto il carico di diversità – culturali, politiche, sociali ed economiche – che porterà con sé, potrebbero, in realtà, portare a soluzioni istituzionali e di governo originali rispetto ai modelli federali conosciuti. Siamo di fronte ad una realtà in continuo divenire, e gli esiti sono tutt'altro che scontati.

Conclusioni

Il nostro *excursus* sui sistemi politici che hanno applicato principi federali, ha evidenziato che, all'interno di importanti tratti comuni – quei tratti, identificati nel primo capitolo, che ci consentono di inserire quelle esperienze all'interno della categoria dei federalismi – esistono importanti differenze.

Abbiamo visto che la distinzione tra federalismo verticale e orizzontale consente di distinguere paesi come la Svizzera e la Germania, ove l'amministrazione è prevalentemente compito delle entità federate, da casi come Stati Uniti, Canada e Belgio, dove il governo centrale e i governi federati gestiscono autonomamente la propria legislazione e la propria amministrazione. Ci siamo anche resi conto che i concetti più generali di federalismo duale e cooperativo, che fanno riferimento al prevalere dell'autonomia dei governi (centrale e federati) nel primo caso, e al prevalere della dimensione di collaborazione, in diverse forme (anche attraverso il federalismo orizzontale) nel secondo, possono individuare delle tendenze, piuttosto nette in alcuni casi (vedi la natura chiaramente duale degli Stati Uniti fino all'inizio del XX secolo e la natura fortemente cooperativa della Germania), più sfumate in altri, ove accanto ad assetti prevalentemente duali, non mancano importanti forme del federalismo cooperativo (vedi Svizzera e Canada). Più in generale, è stato possibile rendersi conto che anche all'interno delle esperienze federali, è possibile – come già ci avevano detto Friedrich e Riker – individuare casi maggiormente accentrati, con un governo centrale con importanti poteri (tra i federalismi classici Stati Uniti e Germania) e casi più decentrati, ove maggiore è la dispersione del potere (Canada e Svizzera). Ma ci siamo anche resi conto di quanto convincente possa essere l'idea che la natura dei sistemi federali sia mutevole (il federalismo come processo di Friedrich), e, dunque, di come sia possibile l'evoluzione da un tipo ad un altro di federalismo. Il rafforzamento degli esecutivi nel XX secolo, ad esempio, ha giocato un ruolo cruciale nella crisi del modello duale statunitense e nel suo avvicinamento ad una forma più cooperativa. Più in generale, ha prodotto una spinta verso un'accentuazione dell'accentramento e della cooperazione in tutti i sistemi federali, anche se non mancano casi (Canada e Svizzera) che più di altri hanno resistito a tale spinta.

Un'altra distinzione esistente in letteratura, e che ci è apparsa, alla luce dei casi analizzati, di estrema importanza, è quella tra sistemi federali sorti per unione (Stati Uniti, Canada, Germania, Svizzera) e sistemi federali (anche se l'uso di tale termine potrebbe, in questo secondo caso, essere contestato) sorti per decentramento (Spagna e Belgio). Lo scienziato politico Alfred Stepan ha, a tale proposito, parlato di sistemi federali il cui obiettivo è quello di «come together» e quelli il cui obiettivo è «hold together», mantenersi uniti, adottando una struttura federale per neutralizzare spinte centrifughe. A questi due tipi, Stepan ne ha aggiunto un terzo, quello delle federazioni «putting together», messe insieme a prescindere dalla volontà delle parti federate, in un contesto non democratico (Urss). Questo terzo tipo è utile anche nell'interpretazione dei nostri casi, poiché ci consente di specificare meglio la genesi di due di essi, Germania e Canada, ove, come abbiamo visto, non sono mancati elementi di imposizione nel processo di federazione: le pressioni della Prussia nel 1870 e poi degli Alleati nel 1949 nel caso tedesco; la conquista inglese del Canada francese nel 1759 e il ruolo giocato dal governo britannico, nel secondo caso.

Fino ad oggi, è stata forse posta scarsa attenzione alle possibili differenze politico-istituzionali, che una genesi per unione o per decentramento possono produrre. Dai capitoli precedenti emergono almeno due di queste differenze. La prima, riguarda la camera alta, che in tutti i sistemi sorti per federazione (a parte il Canada, che però abbiamo visto avere caratteri anche del tipo «putting together») consente, almeno sulla carta, la rappresentanza – paritaria o tendenzialmente paritaria – delle unità federate, e detiene importanti poteri; mentre in Spagna e Belgio, federazioni sorte per decentramento, ciò avviene in maniera solo parziale e piuttosto confusa, e al senato è attribuito un ruolo secondario. È evidente il legame tra queste differenze e la nascita dei sistemi federali: là dove è avvenuta per unione, il senato ha rappresentato il necessario luogo di rappresentanza dei contraenti il patto originario (e nei casi di Stati Uniti, Germania e Svizzera, anche l'erede dei consigli degli stati della precedente fase confederale). La seconda differenza riguarda la distribuzione delle competenze fiscali: sia in Belgio, sia in Spagna, le risorse finanziarie degli enti federati continuano a provenire prevalentemente dal centro e l'autonomia fiscale di tali enti (nonostante importanti progressi in tal senso) è ancora limitata.

Attraverso la descrizioni di casi quali il Canada, il Belgio e la Spagna, abbiamo anche avuto la possibilità di cogliere la probabile esistenza di un nesso tra federalismo e società multinazionali; è, infatti, più che evidente che i due federalismi per decentramento della Spagna e del Belgio, sorgono proprio in risposta alle pressioni nazionalistiche, basche, catalane e galiziane nel primo caso, fiamminghe e vallone nel secondo. Per quanto concerne il Canada, esso sarebbe forse sorto per federazione anche in assenza di una minoranza francofona, ma è certo che a quella presenza deve la sua natura decentrata.

Laddove le istituzioni federali sono investite anche del compito di gestire i problemi (in particolare le spinte centrifughe) che sorgono dalla coesistenza di più nazionalità all'interno dei medesimi sistemi politici (democrazie multinazionali), esse possono presentare anche una natura asimmetrica. Fu Charles Tarlton, in un articolo del 1965, ad utilizzare il concetto in relazione ai sistemi federali. Secondo Tarlton, il concetto di asimmetria esprime sia la presenza di unità della federazione con caratteristiche sociali e culturali diverse tra loro e rispetto alla comunità federale più ampia (a questo proposito Lijphart parla non di simmetria/asimmetria, ma di *federalismi omogenei* e *disomogenei*); sia una diversificazione nell'autonomia e nel potere di tali unità, derivante dalla traduzione, sul piano politico-istituzionale, dell'asimmetria socioculturale.

Come abbiamo visto, Canada, Belgio e Spagna presentano queste asimmetrie, sia sul piano sociologico, sia su quello politico-istituzionale. L'asimmetria politico-istituzionale concerne non solo il grado d'autonomia attribuito alle diverse parti federate, ma può riguardare anche le loro istituzioni. In questo modo, la struttura federale diverge da ciò che – come nota Ortino – accade solitamente negli Stati federali, ovvero che di fronte allo Stato si pongano «enti federati strutturati secondo un modello omogeneo». È il caso del Belgio, dove l'asimmetria presenta una molteplicità di aspetti: l'esistenza di due enti differenti quali le comunità e le regioni e la rappresentanza nel senato solo delle prime; le differenze nell'organizzazione istituzionale di comunità e regioni fiamminghe e comunità e regioni vallone; i più deboli poteri concessi alla comunità germanofona e alla regione di Bruxelles-capitale.

In Canada l'asimmetria si esprime principalmente con i più ampi ambiti d'autonomia che sono stati concessi al

Quebec, nonché attraverso la possibilità delle diverse province di accettare o meno determinati interventi del governo federale. Nel caso spagnolo, essa è implicita nella stessa Costituzione del 1978, che ha previsto due diversi percorsi del processo autonomistico e un'acquisizione dei poteri per le comunità autonome graduale e da concordarsi singolarmente con il governo centrale; tale asimmetria risulta evidente, oggi, dai diversi livelli d'autonomia raggiunti dalle comunità, nonostante i tentativi d'omogeneizzazione (peraltro in parte riusciti) operati dal centro.

Le specificità nazionali, culturali così come sociali ed economiche, presenti all'interno dell'Unione europea attuale e di quella futura, allargata ad oriente, e l'adozione del citato principio di flessibilità con il Trattato di Amsterdam, fanno pensare che se sarà federalismo, anche quello europeo sarà inevitabilmente federalismo asimmetrico.

Per saperne di più

Per quanto riguarda gli studi classici sul federalismo, ricordiamo D. Elazar, *Idee e forme del federalismo*, Milano, Mondadori, 1998[3]; C.J. Friedrich, *Trends of Federalism in Theory and Practice*, London, Pall Mall Press, 1968 e gli scritti raccolti in C.J. Friedrich, *L'uomo, la comunità, l'ordine politico*, Bologna, Il Mulino, 2002, pp. 257-332; W. Riker, *Federalism: Origin, Operation, Significance*, Boston, Little Brown, 1964 e *Federalism: A Bibliografic Survey*, in W. Polsby e F. Greenstein (a cura di), *Handbook of Political Science*, Reading, Mass., Addison-Wesley, 1974, vol. V, pp. 93-172; K.C. Wheare, *Del governo federale*, Bologna, Il Mulino, 1997 (ed. or. 1963).

Voci approfondite e documentate sul tema sono quelle di G. Bognetti, *Federalismo*, in *Digesto disc. pubbl.*, Torino, Utet, 1991, pp. 273-301 e G. de Vergottini, *Stato federale*, in *Enciclopedia del diritto*, Milano, Giuffrè, 1990, vol. XLIII, pp. 838-841. Sul problema Stato federale-Stato regionale, vedi anche: L. Vandelli, *Regionalismo*, in *Enciclopedia delle Scienze Sociali*, Roma, Istituto della Enciclopedia italiana, vol. VII, pp. 308-317; M. Volpi, *Stato federale e stato regionale: due modelli a confronto*, in «Quaderni costituzionali», 1995, n. 3, pp. 367-409.

Per il concetto di federalismo nella storia del pensiero politico vedi C. Malandrino, *Federalismo. Storia, idee, modelli*, Roma, Carocci, 1998 e L. Levi, *Il federalismo*, in *Storia delle idee politiche, economiche e sociali*, Torino, Utet, 1979, vol. VI. Un interessante saggio sull'idea federale in Althusius, è quello di G. Duso, *Il governo e l'ordine delle consociazioni: la «Politica» di Althusius*, in G. Duso (a cura di), *Il Potere*, Roma, Carocci, 1999.

Saggi sui casi nazionali analizzati, tra la letteratura più recente, si trovano in D. McKay, *Designing Europe. Comparative Lessons from the Federal Experience*, Oxford, Oxford University Press, 2001 (Stati Uniti, Canada, Germania, Svizzera e, tra i casi qui non studiati, Australia); J.J. Hesse e V. Wright (a cura di), *Federalizing Europe? The Costs, Benefits, and Preconditions of Federal Political Systems*, New York, Oxford University Press, 1996 (Germania, Svizzera, Spagna, Belgio e, tra i casi qui non studiati, Austria e Urss). Informazioni molto precise e approfondite sui sistemi federali (e sulla loro storia) degli Stati Uniti, del Canada, della Germania e del Belgio, si trovano nei capitoli relativi contenuti in S. Ortino, *Diritto costituzionale comparato*, Bologna, Il Mulino, 1994.

Articoli dedicati al funzionamento dei diversi sistemi federali si trovano nella rivista in lingua inglese «Publius» (fondata da Daniel Elazar), e nelle riviste italiane «Le istituzioni del federalismo» e «Federalismo e libertà».

Relativamente agli Stati Uniti, per una storia delle sue istituzioni federali rimandiamo a O. Bergamini, *Breve storia del federalismo americano*, Milano, Marcos Y Marcos, 1996 e S.H. Beer, *To Make a Nation: The Rediscovery of Federalism*, Cambridge, Mass., Harvard University Press, 1993. Il *Federalist*, è stato pubblicato in lingua italiana, con il titolo *Il Federalista*, a cura di M. D'Addio e G. Negri e con introduzione di L. Levi (Bologna, Il Mulino, 1997). Per quanto riguarda l'evoluzione del sistema federale americano, vedi P. Peterson, *The Price of Federalism*, Washington D.C., Brookings Institution, 1995. Dell'impatto del federalismo americano sugli altri paesi tratta estesamente C.J. Friedrich, nel saggio *L'impatto del costituzionalismo americano in altri paesi: il federalismo*, pubblicato nella già citata antologia di scritti del Mulino, pp. 309-332.

Importante per comprendere l'attuale crisi del sistema federale canadese è il volume di W. Kent (a cura di), *The Collapse of Canada*, Washington D.C., Brookings Institution, 1992. Relativamente alla recente riforma costituzionale introdotta in Svizzera e che ha investito anche la sua struttura federale, rimandiamo a A. Tribuiani, *L'evoluzione del federalismo in Svizzera alla luce della recente revisione costituzionale*, Tesi di Laurea, Facoltà di Scienze Politiche di Forlì, Università di Bologna, 2001.

Per quanto concerne il caso italiano, per il tema del regionalismo rinviamo ai lavori di E. Rotelli e L. Vandelli, e al noto testo di R. Putnam, *La tradizione civica nelle regioni italiane*, Milano, Mondadori, 1993. Sulle vicende più recenti, a partire dagli anni Novanta, si è soffermato R. Galullo, nel suo testo *Federalismo minimo*, Milano, Il Sole 24-Ore, 2001. Sul federalismo amministrativo della Bassanini, a partire dal 1998 sono usciti diversi interventi sulla rivista «Le istituzioni del federalismo».

Della vicenda storica e del funzionamento dell'Unione europea, Giuliana Laschi ha fornito una semplice e dettagliata ricostruzione in *L'Unione europea. Storia, istituzioni, politiche*, Roma, Carocci, 2001. Le caratteristiche e il concreto funzionamento del sistema di governo dell'Unione sono con grande efficacia descritte da S. Gozi, *Il governo dell'Europa*, Bologna, Il Mulino, 2000. Per quanto concerne il dibattito sulla natura più o meno federale dell'Unione europea, rimandiamo ai saggi contenuti nei testi già citati di D. McKay, J.J. Hesse e V. Wright e a E. Wistricht, *After 1992. The United States of Europe*, London, Routledge, 1999. Per l'idea, infine, dell'Europa federale, si vedano i testi di M. Albertini, A. Spinelli e L. Einaudi, pubblicati dal Mulino, nella collana «La Biblioteca federalista».

Finito di stampare nel mese di maggio 2002
dalla litosei, via rossini 10, rastignano, bologna
www.litosei.com

farsi un'**idea**

Europa

L'Unione europea, *di Piero S. Graglia*
Il Parlamento europeo, *di Luciano Bardi e Piero Ignazi*
Il mercato unico europeo, *di Roberto Santaniello*
L'euro, *di Lorenzo Bini Smaghi*
La Banca centrale europea, *di Francesco Papadia e Carlo Santini*

Politica e istituzioni

Lo stato e la politica, *di Paolo Pombeni*
Il federalismo, *di Sofia Ventura*
Il governo delle democrazie, *di Augusto Barbera e Carlo Fusaro*
La classe politica, *di Gianfranco Pasquino*
I partiti italiani, *di Piero Ignazi*
Il governo della Repubblica, *di Piero Calandra*
La legge finanziaria, *di Luca Verzichelli*
Il governo locale, *di Luciano Vandelli*
La burocrazia, *di Guido Melis*
La giustizia in Italia, *di Carlo Guarnieri*
La giustizia amministrativa, *di Guido Corso*
La Nato, *di Marco Clementi*

Economia

L'economia italiana, *di L. Federico Signorini e Ignazio Visco*
Il debito pubblico, *di Ignazio Musu*
Concorrenza e antitrust, *di Alberto Pera*
La banca, *di Giuseppe Marotta*
La Borsa, *di Francesco Cesarini e Paolo Gualtieri*
I fondi pensione, *di Riccardo Cesari*
L'agricoltura in Italia, *di Roberto Fanfani*
Il commercio in Italia, *di Luca Pellegrini*
Nonprofit, *di Gian Paolo Barbetta e Francesco Maggio*
Il made in Italy, *di Marco Fortis*
Il Fondo monetario internazionale, *di Giuseppe Schlitzer*
La new economy, *di Elena Vaciago e Giacomo Vaciago*

Società

La popolazione del pianeta, *di Antonio Golini*
Le nuove famiglie, *di Anna Laura Zanatta*
L'adozione, *di Luigi Fadiga*
La scuola in Italia, *di Marcello Dei*
L'università in Italia, *di Giliberto Capano*
Il rendimento scolastico, *di Giancarlo Gasperoni*
Occupati e disoccupati in Italia, *di Emilio Reyneri*
Il giornale, *di Paolo Murialdi*
La televisione, *di Enrico Menduni*
I sondaggi, *di Mauro Barisione e Renato Mannheimer*
Gli scout, *di Mario Sica*
Droghe e tossicodipendenza, *di Simonetta Piccone Stella*

Religione

L'induismo, *di Giorgio Renato Franci*
Gli ebrei, *di Piero Stefani*
I musulmani, *di Paolo Branca*
Il Corano, *di Paolo Branca*
Gli ortodossi, *di Enrico Morini*
Le sette, *di Enzo Pace*
New Age, *di Luigi Berzano*
I preti, *di Marcello Offi*
Il giubileo, *di Lucetta Scaraffia*
Comunione e liberazione, *di Salvatore Abbruzzese*

Psicologia

La mente, *di Paolo Legrenzi*
Il linguaggio, *di Patrizia Tabossi*
La memoria, *di Anna Maria Longoni*
Decidere, *di Rino Rumiati*
L'infanzia, *di Luigia Camaioni*
Gli adolescenti, *di Augusto Palmonari*
Invecchiare, *di Renzo Scortegagna*
La felicità, *di Paolo Legrenzi*
L'autostima, *di Maria Miceli*
La timidezza, *di Giovanna Axia*
La vergogna, *di Luigi Anolli*
Sentirsi in colpa, *di Paola Di Blasio e Roberta Vitali*
Arrabbiarsi, *di Valentina D'Urso*

La paura, *di Maria Rita Ciceri*
Stereotipi e pregiudizi, *di Bruno M. Mazzara*
Il conformismo, *di Angelica Mucchi Faina*
Comunicazione e persuasione, *di Nicoletta Cavazza*
Le buone maniere, *di Valentina D'Urso*
Lo stress, *di Mario Farnè*
Disturbi psicosomatici, *di Giancarlo Trombini e Franco Baldoni*
La depressione, *di Giovanni Jervis*
Le difficoltà di apprendimento a scuola, *di Cesare Cornoldi*

Scienza e ambiente

Lo sviluppo sostenibile, *di Alessandro Lanza*
Il cambiamento climatico, *di Alessandro Lanza*
Le biotecnologie, *di Marcello Buiatti*
La procreazione assistita, *di Carlo Flamigni*
I farmaci, *di Stefano Cagliano e Alessandro Liberati*